as doceiras

Carla Pernambuco *Carolina Brandão*

Companhia
Editora Nacional

Eu me lembro exatamente do dia em que percebi que o restaurante da minha amiga Carla Pernambuco era mais do que simplesmente um lugar agradável com um cardápio repleto de comidinhas que eu adorava. Nesse dia, caiu a ficha de que o restaurante da minha amiga, aberto havia tão pouco tempo, já era merecedor de um superlativo — baseado não em laços pessoais ou nas idiossincrasias do meu paladar, mas em pelo menos uma década de pesquisa de campo:

"Carla, o teu restaurante tem A Melhor Carta de Sobremesas da Cidade." (Foi assim mesmo. Falei todas essas palavras com iniciais maiúsculas.) E olha que naquela época ainda não havia o petit gâteau de doce de leite, nem o pudim de fruta-do-conde, nem o abacate brûlée, nem a Carolina Brandão para ajudar a inventar essas coisas. As estrelas da carta de sobremesas ainda eram o (mitológico, hoje em dia) suflê de goiabada, o brownie, a tarte Tatin e uma cheesecake que conseguia ser melhor do que a memória que alguém pudesse ter das cheesecakes de Nova York. Pois, justo nesse dia do superlativo, eu inventei de me demorar em elogios à tal cheesecake. Que a cheesecake era isso. Que a cheesecake era aquilo. Que não havia cheesecake igual na cidade. No que a Carla comentou:

— A cheesecake não sou eu que faço. Eu compro da Isabella Suplicy.

Conclusão: ela sabe fazer e sabe quem faz.

Você não poderia estar em melhores mãos. Bom proveito.

Ricardo Freire

Que este livro é lindo, você já sabe. Já viu. Também sabe de antemão que todas estas receitas são divinas. Afinal, conhecemos muito bem essas autoras-cozinheiras e sabemos exatamente o que elas são capazes de nos proporcionar. Carla e Carolina dispensam apresentações. E, dessa vez, ainda tem o texto da Tetê. Nossa! Que turma! Isso é do que mais gosto neste livro: a turma. Essas mulheres trabalhando juntas. Cada uma a seu modo, com seu jeito específico, personalidade, temperamento, tempero, inteligência, humor e talento; trabalhando para nos provocar, nos instigar, mexendo com nossos sentidos todos. Unidas num propósito maravilhoso: nos inspirar. E aí me sinto na obrigação de, em nome de todos os leitores, agradecer a essas grandes mulheres. Com a licença do Fernando Pernambuco, que fez essas fotos divinas, e do Leandro Bertelli, o diretor de arte que deu um show, a conversa aqui é feminina. Quero fazer valer o título deste livro, que, aliás, eu adoooooooooooooro. Por isso, meninos, ouçam com atenção! Apesar de essas doceiras não viverem sem vocês, com este livro entramos em outro universo e, exatamente por isso, mais do que um prefácio, este texto deveria ser uma ode a elas, que com suas receitas, textos, magia e alquimia, inundam nossas vidas de beleza, sutileza, qualidade, partilhando conosco todo um mundo muito especial, rico, cheio de paladares, sensações, lembranças, fantasia... Sabe o que é melhor? Elas fazem tudo isso nos mandando para a cozinha, que é o lugar de onde nós, mulheres, nunca deveríamos sair. Adoro esta imagem: um monte de mulheres na cozinha. E, assim, cozinhando, dessa maneira superfeminina de ser (com licença, senhores), que é a troca de confidências, sonhos, projetos, lembranças e histórias enquanto vamos batendo um bolo, testando uma receita, desenhando a vida e nos tornando seres humanos melhores. Fico comovida com a enorme generosidade com que elas nos revelam seus segredos, suas receitas, abrem as portas do coração e nos convidam a ser parte deste mundo tão delas, mas que pode ser nosso também. Aliás, um mundo que passa a ser nosso muito rapidamente, só de sentir o cheiro do que vem por aí, só de folhear estas páginas. Adoro dividir. Só acredito na vida assim, nessa troca, nessa mistura, na tal da interdependência mesmo. Adoro trocar informação, dica, confidência... Este livro é assim: parece conversa de amiga. Adoro o coletivo que ele tem: amigas juntas, fazendo arte juntas, fazendo livro juntas e fazendo nos parecer ser fácil o que definitivamente não é. Seja o ponto de um doce sofisticado ou o delírio de um sentimento. Não é possível ser feliz sozinho, isso já sabemos há muito tempo. Mas não custa nada relembrar quantas vezes for preciso. Este livro tem mais este poder: nos faz sentir "pertencendo". Não é pouca coisa. Aproveitem. Aproveitem com todos os seus sentidos.

Mônica Figueiredo

FOTOGRAFIAS/Photos
FERNANDO PERNAMBUCO

ILUSTRAÇÕES/Illustrations
FLORIANA BREYER

TEXTOS/Copy
TETÊ PACHECO

VERSÃO PARA O INGLÊS/English Version
JACQUELINE CANTORE

DIREÇÃO DE ARTE/Art Direction
LEANDRO BERTELLI

© Companhia Editora Nacional, 2013

DIRETOR SUPERINTENDENTE JORGE YUNES
DIRETORA EDITORIAL ADJUNTA SILVIA TOCCI MASINI
PRODUTORA EDITORIAL SOLANGE REIS
EDITORES CRISTIANE MARUYAMA
ISNEY SAVOY
MARCELO YAMASHITA SALLES
PEDRO CUNHA
RODRIGO MENDES DE ALMEIDA
COORDENAÇÃO DE ARTE MÁRCIA MATOS

Agradecemos a **Jacaré do Brasil** e **Again**
por cederem objetos para a produção das fotos.

CIP-BRASIL. CATALOGAÇÃO-NA-FONTE
SINDICATO NACIONAL DOS EDITORES DE LIVROS, RJ

P53d

Pernambuco, Carla
As doceiras / Carla Pernambuco, Carolina Filardi Brandão ; ilustrações Floriana Breyer. - 2. ed. - São Paulo : Companhia Editora Nacional, 2013.

ISBN 978-85-04-01840-0

1. Sobremesas. I. Brandão, Carolina. II. Título.

13-2208.   CDD: 641.853
            CDU: 641.85

05.04.13   09.04.13   044042

2ª edição - São Paulo - 2013
Todos os direitos reservados

Av. Alexandre Mackenzie, 619 – Jaguaré
São Paulo – SP – 05322-000 – Brasil – Tel.: (11) 2799-7799
www.editoranacional.com.br – editoras@editoranacional.com.br
CTP, Impressão e acabamento IBEP Gráfica

AS DOCEIRAS
SWEET LADIES

·······························xxx·······························

"Para minhas avós, Nely e Nair, que me ensinaram os segredos da cozinha."
"To my grandmothers, Nely and Nair, who taught me all their kitchen secrets."
CARLA PERNAMBUCO

"As pessoas mais doces de minha vida, meus pais, Marco e Valéria."
"To the sweetest people in my life, my parents, Marco and Valéria."
CAROLINA BRANDÃO

CAPÍTULO 1 • TATINS
016 "O chocolate e as maçãs"
020 Tatin de manga e coco queimado
020 Tatin de damasco
021 Tatin de maçã
025 Tatin de banana

CAPÍTULO 2 • MIL-FOLHAS
028 "As mil e uma folhas"
032 Rolinhos de frutas secas e mel
033 Rolinhos de marrom-glacê
036 Mil-folhas de doce de leite com gelado de baunilha
036 Mil-folhas de figo com creme de especiarias
037 Rolinhos de banana assada com tapioca
037 Mil-folhas trufado de chocolate com passas ao rum
041 Mil-folhas de morango

CAPÍTULO 3 • PUDINS
044 "Pudim"
047 Panna cotta de coco
048 Pudim de fruta-do-conde do Carlota
048 Panna cotta com calda de framboesa fresca
049 Pudim de iogurte
049 Manjar de dulce de leche
053 Pudim de leite condensado

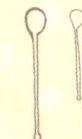

CAPÍTULO 4 • BRÛLÉES
056 "Tpm"
059 Brûlée de papaia com framboesa
060 Brûlée de abacate cremosa
060 Crème brûlée clássica
061 Crème brûlée de capim-limão
061 Arroz-doce brûlée

CAPÍTULO 5 • BOLOS
066 "A noiva e o bolo"
069 Pão de ló de baunilha clássico
072 Bolo denso de chocolate
072 Bolo de tapioca
076 Ovelha negra
077 Bolo mármore
081 Bolo suíço de amêndoa, cenoura e damasco

CAPÍTULO 6 • DOCINHOS
084 "A doceira virgem"
086 Negrinho melado
086 Ovinhos de coco

091 Camafeu
092 Ninho de cupuaçu
093 Docinho indiano
093 Toucinho do céu de pistache
097 Bombolones de chocolate

CAPÍTULO 7 • GÂTEAUX
100 "O bolinho assassinado"
102 Bolo quente e cremoso de banana
102 Petit gâteau de goiabada
105 Petit gâteau de queijo da Serra da Estrela
106 Petit gâteau de chocolate
106 Gâteau de coco
108 Petit gâteau de doce de leite do Carlota
109 Petit gâteau de figada

CAPÍTULO 8 • SUFLÊS
114 "Telefone tocando"
117 Suflê de bananada
120 Suflê gelado de morango
121 Suflê de goiabada com calda de catupiry do Carlota
124 Suflê de marmelada de Belém
124 Suflê de chocolate

CAPÍTULO 9 • SOBREMESAS GELADAS
128 "Alice abaixo de zero"
130 Sundae do Carlota
130 Tiramisù gelado de tapioca
135 Manjar da marquesa
136 Cheesecake de chocolate
137 Creme de mascarpone com blueberry e amora
137 Ovos nevados com calda de rapadura
141 Nêmesis de chocolate
143 Ovos nevados com lichia, molho cremoso de coco e gengibre

CAPÍTULO 10 • TORTAS
146 "A mulher torta"
149 Terrine de Ovomaltine e noz pecan
150 Marquise de maçã com nacos de roquefort
154 Torta de castanha do pará e ricota com compota dourada de caju
154 Empadinhas de chocolate branco com frutas tropicais e crosta de corn flakes
155 Baked Alaska de doce de leite com laranja
155 Torta dourada de coco e baba de moça
159 Cesta de marzipan com nata batida, lemoncello e amoras frescas

164 Versão em inglês • English version

TATINS

O chocolate e as maçãs

Os homens amam as mulheres que cozinham. *Oui*, pois eles só pensam em comer. A comida ou nós. Ou os dois ao mesmo tempo.

Nunca fui boa de cozinha, mas de doce eu até que entendo. Sou a criadora da *femme au chocolat*. Um sucesso em minha época. Os caçadores de passagem por Lamotte-Beuvron faziam fila para provar. Pegue uma barra de *chocolat au lait*, corte em pedacinhos e leve ao fogo brando. De vez em quando, regue com um fiozinho de leite. Quando o creme estiver no ponto, é só deixá-lo, bem oferecido, na janela, lançando no ar seu aroma adocicado, um convite ao prazer. Depois de atrair a presa (a caça está no DNA da região), usa-se a *technique* de ir derramando lentamente o creme pelo corpo, obrigando os homens, um, dois, quantos forem, a ficarem só olhando, ardentes, esperando o sinal para se refestelarem em volúpia gulosa.

Para uma mulher sem dotes culinários como eu, a receita foi um triunfo. Isso até aquele caçador aparecer na cidade. Ele não gostava de chocolate. Para o pecado guloso, ele preferia maçãs. Tentei improvisar. Mas, como disse antes, eu era melhor na cama do que no fogão. As tentativas não deram certo, e eu fui ficando obsessiva. Eu o queria. E, mais, queria que ele me quisesse.

Passei a persegui-lo. Naquela noite, soube que ele se hospedaria no Hotel Tatin. Eu não disse? Eles só pensam em comer, e as irmãs Tatin eram as mais famosas da região. *Bouf*.

Fui até lá e fiquei espiando através da janela do restaurante. Ali estava ele, lambendo o *gigot en croûte* dos bigodes, derramando-se em elogios para ela.

Merde, c'est tout la même chose! Eles querem as boas de caçarola, as doceiras de mão-cheia. A fúria do ciúme tomou conta de mim.

Invadi a cozinha pela porta dos fundos. Stephanie Tatin estava cortando, *mon Dieu*, maçãs!? Só podiam ser para ele. Alguém a chamou no salão. Oportunidade única, pensei. Eu não o tinha, mas nenhuma outra bisca francesa o teria. O forno esquentava, e o meu sangue fervia. Eu precisava agir rápido. Coloquei as maçãs já cortadas numa forma sem a massa por cima, taquei no forno e me escondi atrás do armário, para desfrutar da minha maquiavelice.

Ela nem percebeu que não havia colocado a torta para assar. O aroma de maçã tomou conta da cozinha. Preciso confessar, era bom demais. Stephanie finalmente abriu o forno e se surpreendeu com o que viu. Maçãs assadinhas e cheirosas, mas sem a massa. Bastante intuitiva, ela jogou a massa por cima e devolveu ao forno. Eu ria por dentro. Mas a graça durou pouco. Só o tempo de aquela que viraria a torta mais famosa da França sair do forno e ir direto para a mesa dele.

Observei o salão lotado, acompanhando o rastro fumegante que a torta tinha deixado desde a cozinha. Lembro-me de pessoas virando-se para olhar Stephanie. E me lembro do sorriso dele na primeira garfada. O *crétin* parecia manteiga derretida. Aquilo que era para ter sido um desastre se transformou num fenômeno instantâneo.

A minha raiva foi tanta que eu me esqueci de ficar feliz por ser a verdadeira autora daquele sucesso. Nunca mais o vi depois daquela noite. Nem jamais reivindiquei a autoria da torta. Eu não ganharia nada por azedar o final de uma história tão bonitinha. Doceiras são assim: perdem o homem, mas guardam os grandes segredos da sobremesa.

Elle de Lummier, Paris, março de 1919

TATIN DE MAÇÃ
p. 21

1_TATINS_18/19

TATIN DE MANGA E COCO QUEIMADO

massa
1 1/4 de xícara de farinha de trigo
1 pitada de sal
1 colher (sopa) de açúcar
100 g de manteiga em temperatura ambiente
1/3 de xícara de água gelada
Farinha de trigo para polvilhar

Numa tigela, junte todos os ingredientes secos e misture bem. Acrescente a manteiga e misture rapidamente até formar uma farofa. Adicione a água e misture até que a massa esteja lisa.
Embrulhe em filme plástico e leve à geladeira para descansar por 1 hora.

caramelo
2 xícaras de açúcar

Numa panela, derreta o açúcar em fogo baixo.

recheio
4 colheres (sopa) de coco ralado torrado
6 mangas cortadas em triângulos

No fundo de 6 forminhas individuais, coloque o caramelo e, por cima, o coco ralado. Distribua as mangas sobre o coco até ultrapassar um pouco a borda.
Em uma superfície enfarinhada, abra a massa em 8 círculos do tamanho das forminhas e cubra.
Faça um furo no centro da massa para sair o vapor.
Leve ao forno preaquecido a 180°C e asse por cerca de 25 minutos ou até dourar a massa. Retire do forno e desenforme morna.

6 porções

TATIN DE DAMASCO

massa
1 xícara + 1 colher (sopa) de farinha de trigo
1/4 de xícara de açúcar
90 g de manteiga em temperatura ambiente
2 gemas
1 pitada de sal
Água gelada
Farinha de trigo para polvilhar

Numa tigela, junte a farinha, o açúcar e a manteiga e misture com a ponta dos dedos até obter uma farofa.
Acrescente as gemas, o sal e água gelada suficiente para formar uma massa homogênea. Embrulhe em filme plástico e leve à geladeira por pelo menos 1 hora.

caramelo
1 1/2 xícara de açúcar
1/2 xícara de água

Numa panela, junte o açúcar e a água e leve ao fogo baixo sem mexer, fervendo lentamente até formar um caramelo.

recheio
35 damascos turcos secos deixados de molho em água por 4 horas e abertos ao meio
Sorvete para acompanhar

Distribua o caramelo no fundo de 10 forminhas individuais. Cubra o caramelo com os damascos, sobrepondo-os até preencher as forminhas.

Em uma superfície enfarinhada, abra discos da massa para torta um pouquinho maiores do que o diâmetro das forminhas, cubra os damascos com a massa, fechando bem as laterais e faça um furo no meio da massa para sair o vapor.
Leve ao forno preaquecido a 160°C por cerca de 13 minutos ou até dourar a massa levemente. Na hora de servir, reaqueça a torta por alguns minutos e desenforme.
Sirva com sorvete da sua escolha.

10 porções

TATIN DE MAÇÃ

massa

1 1/2 xícara de farinha de trigo
2/3 de xícara de açúcar
100 g de manteiga em temperatura ambiente
1/4 de colher (chá) de essência de baunilha
Água gelada

Numa tigela, junte todos os ingredientes, incorporando a água aos poucos, até obter uma massa homogênea que desgrude das mãos. Não sove a massa para que não fique elástica. Embrulhe em filme plástico e deixe descansar na geladeira por pelo menos 1 hora.

recheio

1 xícara de açúcar
1 colher (chá) rasa de canela em pó
12 maçãs vermelhas sem casca em fatias médias
4 colheres (sopa) de manteiga
Manteiga para untar
Farinha de trigo para polvilhar
Sorvete de creme para acompanhar

Unte uma frigideira de inox de 22 cm de diâmetro com manteiga e cubra com o açúcar misturado com a canela (reservando um pouco dos dois). Arrume as fatias de maçã, apertando bem. Distribua pedaços de manteiga entre elas. Leve a frigideira ao fogo baixo e cozinhe por cerca de 40 minutos, apertando bem as maçãs. O fundo deve ficar caramelizado. Deixe esfriar. Em uma superfície enfarinhada, abra a massa num círculo do tamanho da frigideira e cubra as maçãs. Faça um furo no centro da massa para sair o vapor. Leve ao forno preaquecido a 160°C e asse por cerca de 25 minutos ou até dourar a massa. Desenforme morna e sirva com sorvete de creme.

6 porções

TATIN DE MANGA E COCO QUEIMADO
p. 20

TATIN DE BANANA

massa

1 1/2 xícara de farinha de trigo
2/3 de xícara de açúcar
100 g de manteiga em temperatura ambiente
1/4 de colher (chá) de essência de baunilha
Água gelada
Farinha de trigo para polvilhar

Numa tigela, junte todos os ingredientes, incorporando a água aos poucos, até obter uma massa homogênea que desgrude das mãos. Não sove a massa, para não deixá-la elástica. Embrulhe em filme plástico e deixe descansar na geladeira por pelo menos 1 hora.

recheio

2 xícaras de açúcar
1 xícara de água
1 colher (sopa) de gengibre ralado
1 colher (chá) de canela em pó
1 pitada de cravo-da-índia em pó
10 bananas-prata em rodelas de 2 cm

Numa panela, derreta o açúcar. Junte a água, o gengibre, a canela e o cravo e ferva por mais ou menos 5 minutos. Acrescente a banana e cozinhe por 7 minutos, até que elas cozinhem, mas não desmanchem.

caramelo

3/4 de xícara de açúcar
75 g de manteiga
Manteiga para untar
Sorvete de creme para acompanhar

Numa panela, derreta o açúcar. Junte a manteiga e mexa bem, para incorporar.
Espalhe o caramelo quente sobre uma assadeira forrada com papel-manteiga. Deixe esfriar e depois quebre em pedacinhos. Unte uma forma de 20 cm de diâmetro e distribua os pedacinhos de caramelo no fundo. Coloque por cima as rodelas de banana, formando uma flor. Não deixe nenhum espaço entre as rodelas de banana. Em uma superfície enfarinhada, abra a massa numa espessura bem fina e corte-a do tamanho da forma. Coloque a massa sobre a banana, fechando a torta. Faça um furo no centro da massa para sair o vapor. Leve ao forno preaquecido a 160ºC e asse por 15 minutos ou até que a massa fique dourada. Desenforme e sirva quente com sorvete de creme.

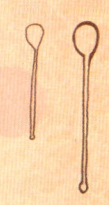

6 porções

2
MIL-FOLHAS

As mil e uma folhas

Quero que este momento antes de ter você dure para sempre. Tempo infinito. Minha mão elástica vai até você e recua. Uma fúria quente me domina. Não posso ficar sem você. Procuro uma frase de efeito — pensante e única. Já sei, morreria por você. Clichê. Estou tomada pelo desejo e por uma culpa imensa. Clichê também.

Melhor seria: estou tomada de desejo sem culpa, um desejo cor de carne sem arrependimento algum, vivo e latente, invejável. Culpados! Eu consegui! Eu desejei sem culpa. Não dá pra controlar isso, entende? Olho para você e sinto arrepios de felicidade e medo. Tenho prazer. Prazer não, delírio. Delírio e prazer. Vício.

Um círculo vicioso perfeito, redondo, cheio. Quando penso em você, viro outra. Quando penso em você? Eu disse isso? Bobagem. Pensar em você não tem quando, pensar em você é um estado permanente. Você está na minha corrente sanguínea. Faz parte do meu DNA. Poderia ser uma das minhas células. Exagerei. Eu sempre exagero. Quero encontrar uma razão que me justifique. Mas não há razão, sou feita de matéria emocional. Pele, tecidos, órgãos, tudo. Porque eu sou assim? Serão os hormônios? O que eu quero afinal? Ter você não é suficiente, tenho que ser você.

Me lambuzar de você inteira. Excitante isso. Sua existência é tão breve e tão intensa. Você também faz isso com outras pessoas? Encontraria neste mundo muitas iguais a mim? Duvido. Neste momento, eu estou completa. Não preciso de mais nada.

Só nós, aqui nessa cama, me basta. Angústia. Meu coração bate descompassado.

Eu sei que vou ficar sem você. Não quero sofrer por antecipação. Não tem importância que eu procure você em outros. É justamente essa sua superioridade que me irrita.

Queria que você estivesse no meu lugar, vivesse com as minhas vísceras.

Dependesse um pouco de mim, pra variar. Exista só se eu existir. Agora. Vicie-se na minha presença. Queira-me líquida, derretida, lambida, de qualquer jeito.

Deseje-me por mim. Imagine, eu sei que isso não é para você. Você não deseja nada, só satisfaz os desejos. Essa é sua palavra, né? Satisfazer. Você é o gostoso. Você é o bom. Você é o demo. Fica aí brincando de não querer nada, só me satisfazer. E eu aqui ficando louca, querendo você em tudo. Quer saber? Eu não quero mais esse querer tanto. Chega. Você não me merece. Vai ficar sem mim. Não suporto mais a sua presença inerte. Eu odeio você. Eu adoro você. O seu cheiro, a sua cor. Vai, despeça-se desta vida breve. Tempo finito. Ninguém vai ter você. Só eu. Você é meu. Minha mão alcança o seu lado. Fecho os olhos para não deixar sua imagem fugir. Você não oferece resistência. Se derrete todo na minha boca. Prazer consumado. Você está dentro de mim. Para sempre. Amanhã é outro dia. Tudo está para ser inventado.

Mil recheios, mil folhas, mil e uma noites de pura imaginação.

ROLINHOS DE FRUTAS SECAS E MEL
p. 32

ROLINHOS DE FRUTAS SECAS E MEL

xarope

3/4 de xícara de mel
1 1/2 xícara de água
2 1/2 xícaras de açúcar
Suco e raspa de 2 laranjas
1 canela em pau

Numa panela, ferva todos os ingredientes até atingir o ponto de calda rala (quando começar a brilhar). Misture e deixe esfriar.

rolinhos

200 g de nozes torradas picadas
160 g de amêndoa torrada picada
140 g de pistache torrado picado
6 folhas de massa filo de 40 cm x 30 cm
Manteiga derretida para pincelar
2 ovos batidos com um pouco de água para pincelar
Iogurte natural para acompanhar

Misture as nozes, a amêndoa e o pistache e divida em 12 porções. Coloque uma folha de massa na bancada, pincele com manteiga e ovo batido. Divida a massa ao meio, formando folhas de 20 cm x 30 cm. Espalhe uma porção de frutas secas sobre a massa, deixando 1 cm de borda na lateral inferior. Enrole a massa formando um rolinho, pincelando com manteiga e ovo conforme for enrolando para selar bem. Pincele o rolinho já pronto com manteiga e ovo e coloque numa assadeira com silpat (placa de silicone) ou numa assadeira comum untada e forrada com papel-manteiga também untado. Repita o procedimento até acabar o recheio. Leve ao forno preaquecido a 180°C e asse por 5 minutos, abaixe para 150°C e asse até dourar. Corte os rolinhos em pedaços de 8 cm e mergulhe-os no xarope por uma noite. Não leve à geladeira. Sirva os rolinhos com iogurte.

8 porções

ROLINHOS DE MARROM-GLACÊ

500 g de castanha portuguesa
2 xícaras de água
2 xícaras de açúcar mascavo
2 colheres (sopa) de essência de baunilha
2 canelas em pau
1 anis-estrelado
8 folhas de massa para rolinho primavera
1 ovo batido para pincelar
Óleo para fritar
Sorvete para acompanhar

Numa panela, ferva as castanhas em água suficiente para cobri-las por aproximadamente 10 minutos. Mantenha-as na água e vá tirando a casca mais grossa. Volte as castanhas para a água ainda morna (se necessário, aqueça novamente para que fique morna). Com uma faquinha, retire a casca mais fina, inclusive das fissuras.
Ferva novamente a castanha e cozinhe até que estejam macias.
Em outra panela, junte 2 xícaras de água, o açúcar, a baunilha, a canela e o anis-estrelado e ferva até que esteja em ponto de calda rala (quando começar a brilhar).
Junte as castanhas e ferva mais 5 minutos. Retire do fogo.
Deixe a castanha na calda de um dia para o outro. Bata no processador a castanha com um pouco de calda até formar um purê cremoso. Corte as folhas de massa ao meio na diagonal, formando 2 triângulos.
Coloque 1 colher de sopa do purê sobre a massa, espalhando para formar o rolinho no maior lado do triângulo. Pincele as pontas da massa com o ovo para fechar o rolinho.
Frite os rolinhos em óleo aquecido na hora de servir, acompanhado do sorvete de sua escolha.

6 porções

ROLINHOS DE MARROM--GLACÊ
p. 33

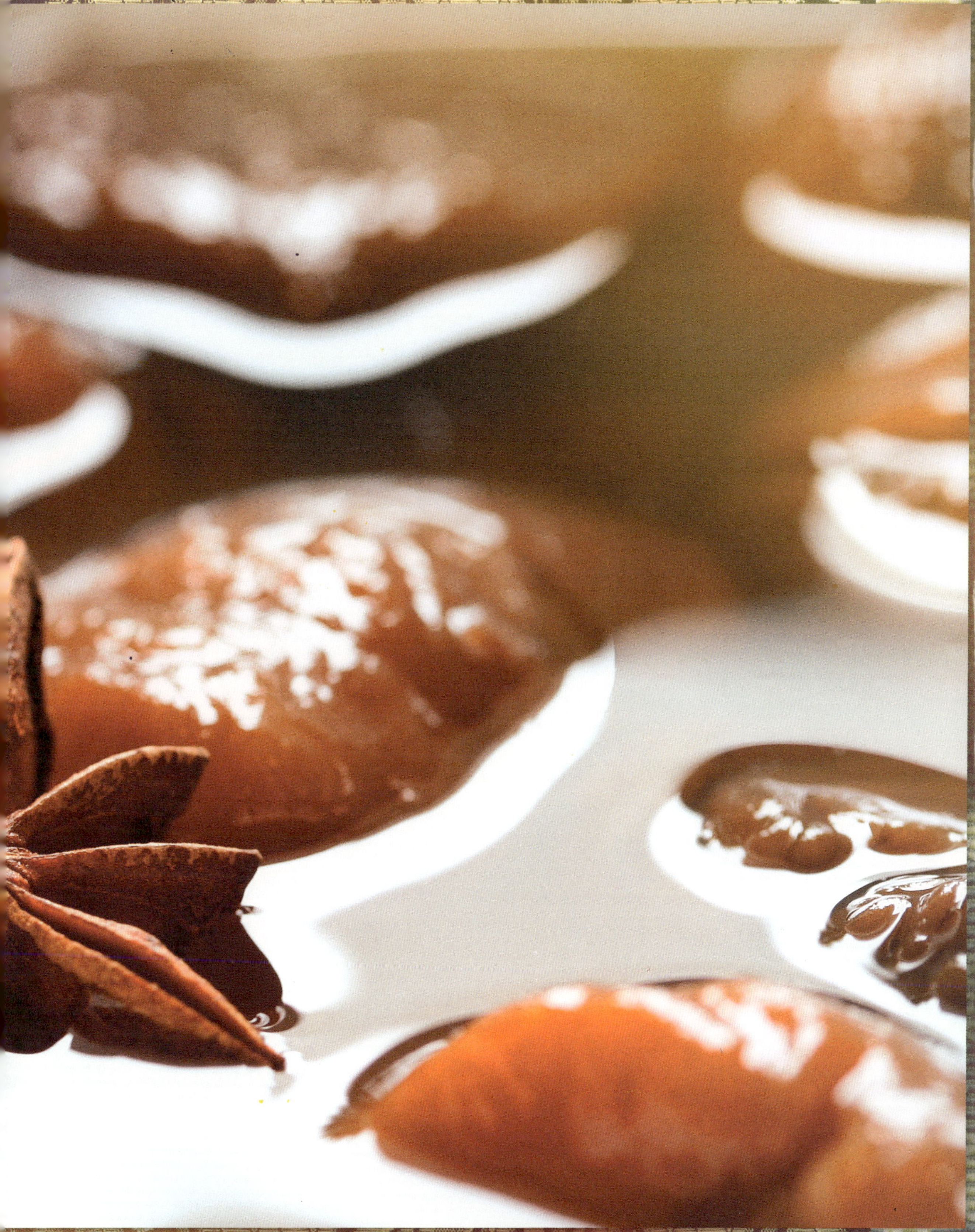

MIL-FOLHAS DE DOCE DE LEITE COM GELADO DE BAUNILHA

- 1 rolo de massa folhada
- 1 xícara de açúcar de confeiteiro
- 4 litros de sorvete de baunilha
- 2 xícaras de doce de leite cremoso
- 1/2 xícara de creme de leite fresco
- 1 colher (sopa) de essência de baunilha
- 1 colher (chá) de canela em pó

Corte 4 retângulos de massa folhada de 30 cm x 12 cm cada.
Fure toda a superfície da massa com um garfo e polvilhe com açúcar de confeiteiro. Leve ao forno preaquecido a 180°C com uma assadeira por cima para fazer peso, e asse por cerca de 20 minutos, ou até a massa ficar dourada e sequinha. Deixe esfriar.
Intercale camadas de massa e sorvete, finalizando com a massa.
Leve tudo ao freezer por cerca de 1 hora, até ficar bem congelado.
Enquanto isso, junte o doce de leite, o creme de leite, a baunilha e a canela e misture.
Na hora de servir, retire do freezer e cubra com a mistura de doce de leite. Se preferir, cubra com alguma fruta de sua preferência.

6 porções

MIL-FOLHAS DE FIGO COM CREME DE ESPECIARIAS

creme
- 2 xícaras de leite
- 15 g de manteiga
- 1/2 xícara de açúcar
- 2 colheres (sopa) de mel
- 1/2 colher (chá) de semente de erva-doce
- 2 canelas em pau
- 1 colher (sopa) de gengibre ralado
- 4 anises-estrelados
- 4 gemas peneiradas
- 1 1/2 colher (sopa) de amido de milho

Numa panela, ferva em fogo baixo o leite com a manteiga, metade do açúcar, o mel e as especiarias. Coe. Numa tigela, bata as gemas com o açúcar restante e o amido de milho, usando um batedor de mão ou fouet. Acrescente o leite quente, misture bem e volte tudo ao fogo baixo, mexendo sem parar até engrossar. Despeje numa tigela, cubra com filme plástico e deixe esfriar.

massa
- 6 folhas de massa filo de 30 cm x 40 cm
- 100 g de manteiga derretida
- 1 xícara de açúcar
- 1 colher (chá) de canela em pó
- 8 figos limpos, cortados em 8 pedaços cada
- Açúcar de confeiteiro para polvilhar

Pincele uma das folhas com manteiga e polvilhe um pouco de açúcar misturado com a canela. Sobreponha outra folha, pincele com manteiga novamente e polvilhe o açúcar com a canela. Feche com outra folha. Separadamente, repita o processo com as outras 3 folhas.
Com um cortador de 6 cm de diâmetro, corte 18 círculos de massa. Distribua entre 2 silpats (placas de silicone) ou assadeiras untadas e forradas com papel-manteiga também untado e asse em forno preaquecido a 170°C por cerca de 10 minutos ou até dourar. Deixe esfriar.
Espalhe uma camada de creme sobre um disco de massa folhada, cubra com os figos, sobreponha outro disco, distribua mais um pouco de creme e os figos novamente. Finalize com o terceiro disco, o creme e os figos.
Para finalizar, polvilhe açúcar de confeiteiro.

8 porções

ROLINHOS DE BANANA ASSADA COM TAPIOCA

tapioca

1 1/2 xícara de tapioca
1/2 xícara de água
1 xícara de leite de coco
2 xícaras de leite
1 lata de leite condensado
1 canela em pau

Numa tigela, coloque a tapioca de molho na água por 10 minutos. Coloque numa panela e cozinhe até ferver.
Junte o leite de coco, o leite, o leite condensado e a canela.
Mexa em fogo baixo até engrossar.
Retire a canela.

rolinhos

12 bananas-nanicas com casca
6 folhas de massa para rolinho primavera
2 claras
Óleo para fritar
Canela em pó para polvilhar

Asse a banana em forno preaquecido a 160°C por 30 minutos. Descasque e enrole em meia folha de massa primavera. Para fechar a massa, pincele com a clara. No óleo pré-aquecido, frite os rolinhos até ficarem dourados.
Sirva imediatamente, polvilhados com canela e acompanhados do creme de tapioca.

6 porções

MIL-FOLHAS TRUFADO DE CHOCOLATE COM PASSAS AO RUM

massa

6 folhas de massa filo de 30 cm x 40 cm
100 g de manteiga derretida
1 xícara de açúcar
1 colher (chá) de canela em pó

Pincele uma das folhas com a manteiga e polvilhe com açúcar misturado com a canela. Sobreponha outra massa, pincele com manteiga novamente e polvilhe o açúcar com a canela. Sobreponha outra folha. Separadamente, repita o processo com as outras 3 folhas. Com um cortador de 6 cm de diâmetro, corte 18 círculos de massa. Distribua entre 2 silpats (placas de silicone) ou assadeiras untadas e forradas com papel-manteiga também untado e leve ao forno preaquecido a 170°C por 10 minutos ou até dourar. Deixe esfriar.

creme

1/2 xícara de uva-passa
1 colher (sopa) de essência de baunilha
1/2 xícara de rum
250 g de chocolate meio amargo
150 g de chocolate ao leite
1 1/4 de xícara de creme de leite fresco
1 pitada de sal
Chocolate em pó para polvilhar

Numa tigela, junte a uva-passa, a baunilha e o rum e deixe descansar por no mínimo 6 horas. Escorra bem, retirando todo o excesso de líquido. Reserve.
Numa panela, junte os chocolates, o creme de leite e o sal, aqueça lentamente misturando bem, até virar um creme homogêneo.
Junte as passas, misture bem e deixe esfriar por no mínimo 2 horas.
Intercale discos de massa com quenelles de creme de chocolate moldadas com 2 colheres de sopa. Utilize 3 discos de massa para cada mil-folhas. Finalize com uma quenelle de creme de chocolate e polvilhe bastante chocolate em pó.

6 porções

MIL-FOLHAS TRUFADO DE CHOCOLATE COM PASSAS AO RUM - *p. 37*

ROLINHOS
DE BANANA
ASSADA COM
TAPIOCA
p. 37

2_MIL-FOLHAS_40/41

MIL-FOLHAS DE MORANGO

creme

2 xícaras de leite
1/2 lata de leite condensado
15 g de manteiga
1/2 xícara de açúcar
4 gemas peneiradas
2 colheres (sopa) de amido de milho
2 colheres (sopa) de farinha de trigo

Numa panela, ferva o leite, o leite condensado, a manteiga e metade do açúcar. Num bowl, bata as gemas com o amido, a farinha e o açúcar restante. Junte o leite à mistura de gemas e misture bem. Volte tudo ao fogo baixo, mexendo até engrossar ligeiramente. Despeje o creme num bowl, cubra com filme plástico e deixe esfriar.

massa

6 folhas de massa filo de 30 cm x 40 cm
100 g de manteiga derretida
1 xícara de açúcar
1 colher (chá) de canela em pó
36 morangos em fatias
Raspa de limão para decorar
Açúcar de confeiteiro para decorar

Pincele uma das folhas com a manteiga e polvilhe com açúcar misturado com a canela. Sobreponha outra massa, pincele com manteiga novamente e polvilhe o açúcar com a canela. Sobreponha outra folha. Separadamente, repita o processo com as outras 3 folhas. Com a ajuda de um cortador de 6 cm de diâmetro, corte 18 círculos de massa. Distribua a massa entre 2 silpats (placas de silicone) ou assadeiras untadas e forradas com papel-manteiga também untado e leve ao forno preaquecido a 170°C por cerca de 10 minutos ou até dourar. Espalhe uma camada de creme e morangos fatiados sobre uma folha de massa. Coloque outra por cima e distribua novamente o creme e o morango. Finalize com uma folha. Cubra com o creme e o morango, formando uma flor sobre o creme. Decore com raspa de limão e açúcar de confeiteiro.

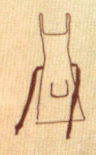

10 porções

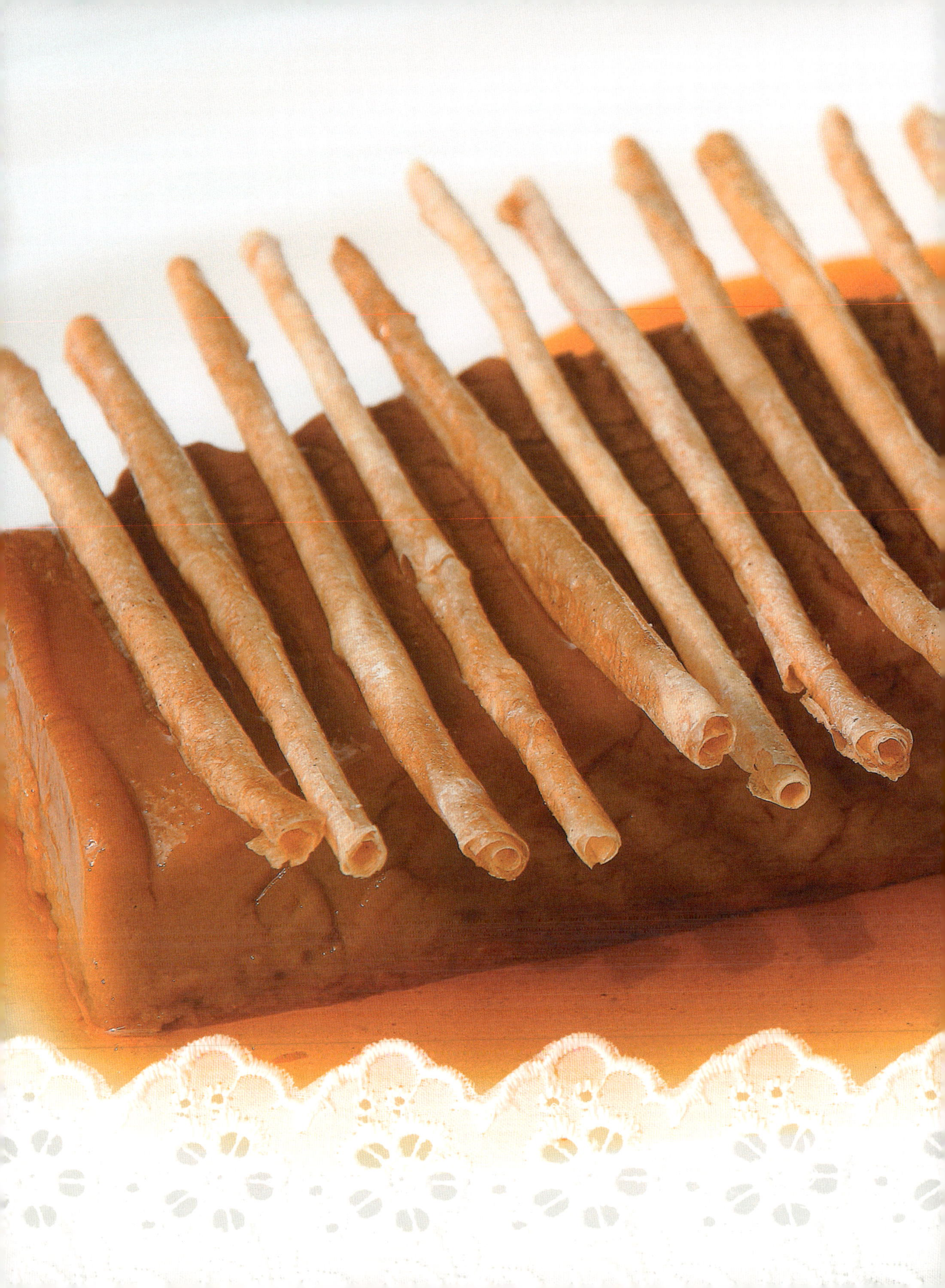

PUDINS

Pudim

uma folha branco-açúcar
apenas uma e nada mais
e nela escrevo-me inteira
derretida em caldas
imperatriz

especiarias e alfabeto
misturo e deixo à parte
não há arte nas palavras
delas só quero isso
afeto

veja, a folha está nua
esperando deixar-se virar
ser lida, consumida, virada
rabiscada, lambuzada
de tudo

uma folha se abre inteira
derrama puro drama
do nada existencial
veio antes o doce ou a doceira?
fonte ou inspiração
não sei o destino dela

quem sabe acabar de repente
assim?

anda folha, escorre texto
vira mito, abre as bocas
cria mentiras
inventa prazeres
vai adiante de mim

diz onde mora
a doçura cheia de dedos
conta os segredos
melhora essa vidinha
chinfrim

folha branco-glacê
antes pálida e gelada
agora lambida livre
no livro recheada

e, por fim, não mais
mostra tua alma
devora a fôrma
da forma escrita
leia-se de colherada

certeza afirmada
aos berros descabelada
ninguém criou nada assim
aí está o nosso melhor
em estado de pudim

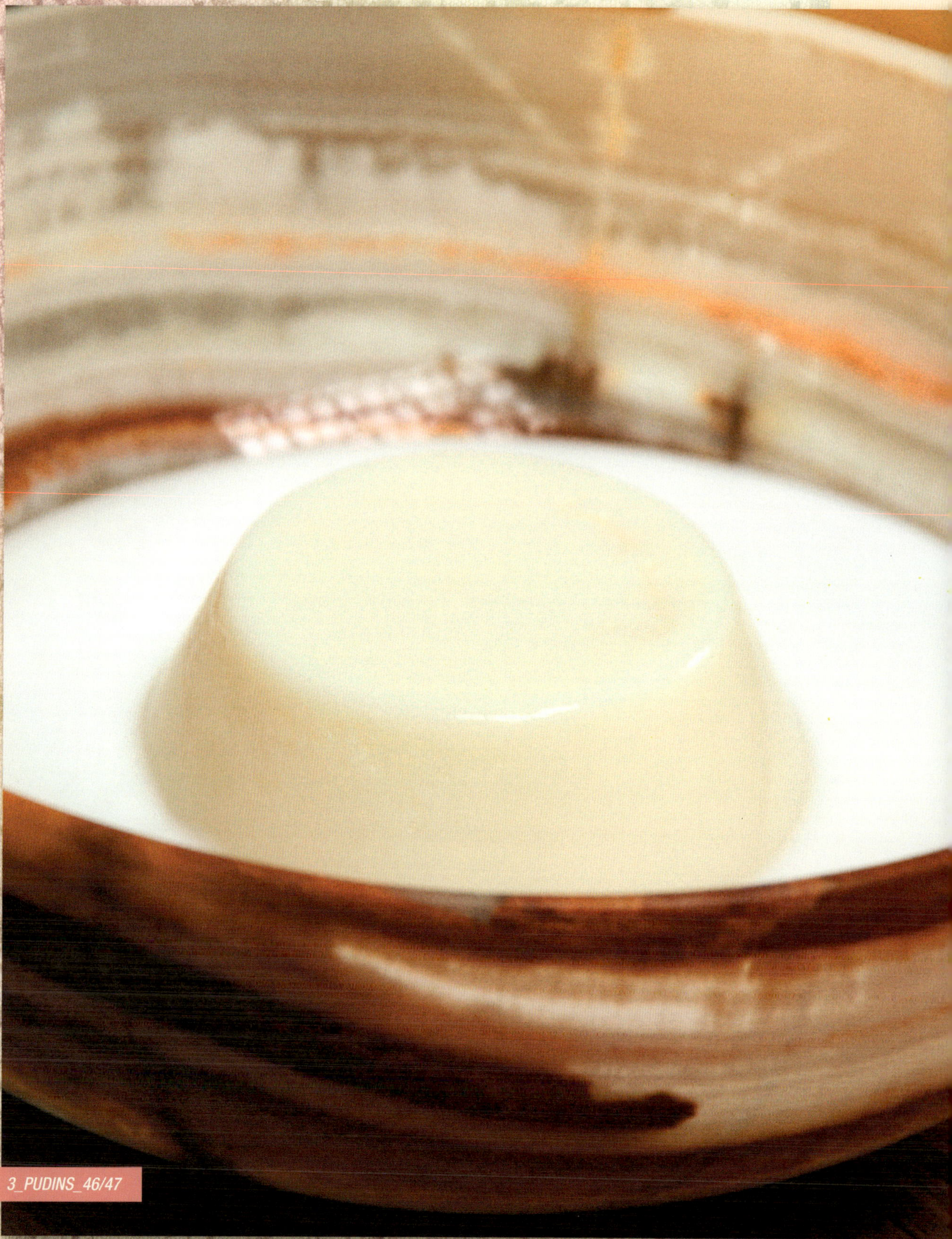

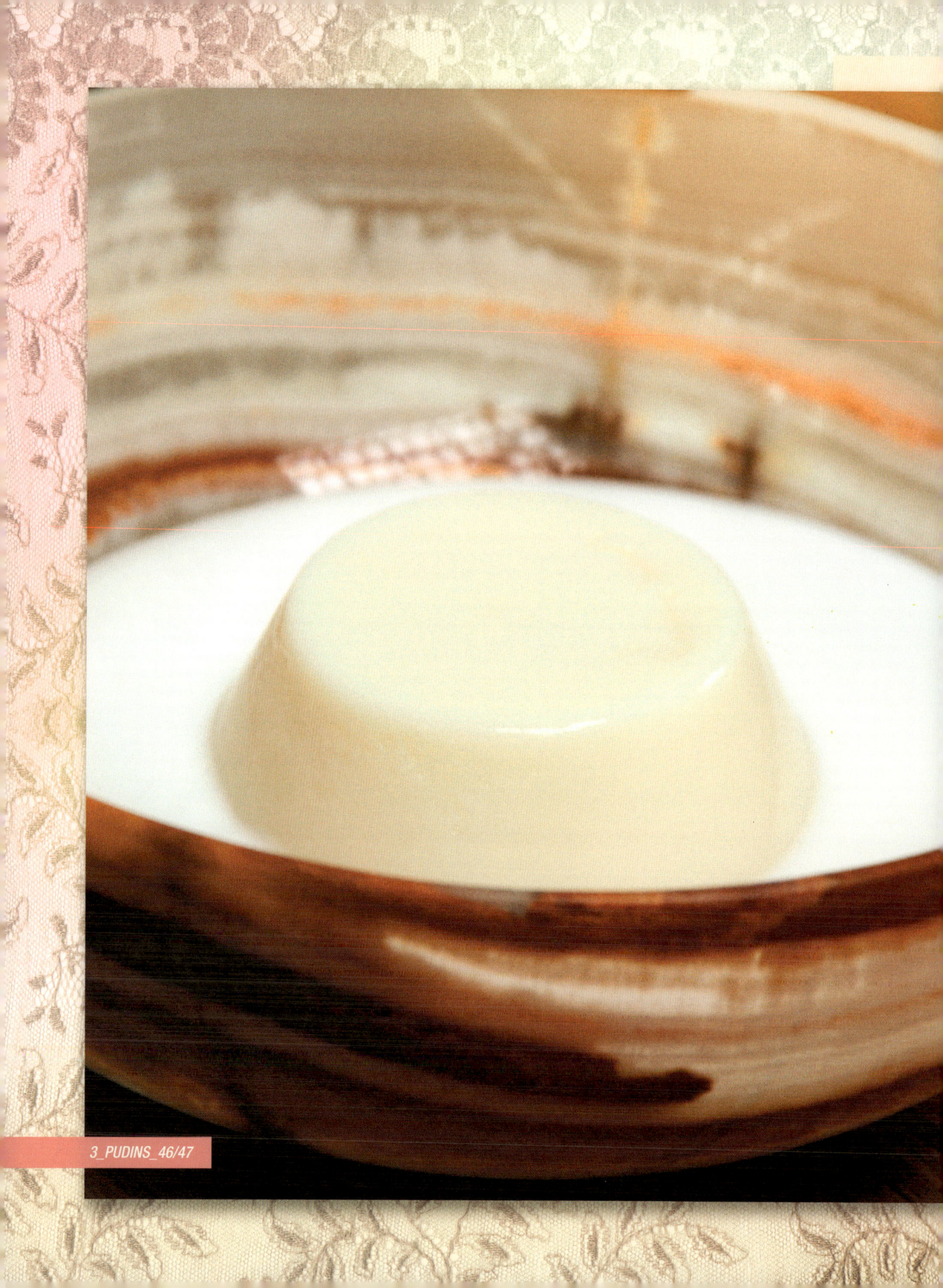

PANNA COTTA DE COCO

panna cotta

4 1/2 folhas de gelatina incolor sem sabor
5 colheres (sopa) de água
1 lata de leite condensado
1 lata de leite evaporado
200 ml de leite de coco
6 colheres (sopa) rasas de coco fresco ralado

Hidrate a gelatina na água até amolecer.
Dissolva no micro-ondas ou em banho-maria.
Bata no liquidificador o leite condensado, o leite evaporado e o leite de coco. Junte a gelatina.
Umedeça com água 6 forminhas individuais e distribua o coco ralado no fundo de cada uma.
Encha as forminhas com o creme e leve à geladeira por no mínimo 12 horas.

compota

5 ameixas sem caroços em fatias bem finas
1 xícara de água
1 1/2 xícara de açúcar
4 colheres (sopa) de licor de cassis

Numa panela, leve tudo ao fogo baixo e ferva por cerca de 20 minutos.
As fatias de ameixa devem permanecer íntegras.
Se ficar muito grossa, acrescente um pouco de água.
Desenforme a panna cotta e sirva com a compota de ameixa fresca.

6 porções

PUDIM DE FRUTA-DO-CONDE DO CARLOTA

pudim

- 5 folhas de gelatina incolor sem sabor
- 5 colheres (sopa) de água
- 1 lata de leite condensado
- 2 1/3 de xícaras de polpa de fruta-do-conde
  Batida no liquidificador e coada
- 3 carambolas em fatias para decorar

Hidrate a gelatina na água até amolecer. Escorra o excesso de água.
Derreta a gelatina em banho-maria ou no micro-ondas. Bata os ingredientes restantes no liquidificador.
Junte aos poucos, com o liquidificador ligado, a gelatina. Distribua em 6 forminhas individuais ou numa forma de furo no meio umedecidas com água. Leve à geladeira
até ficar firme.

calda

- 2 xícaras de água
- 2 xícaras de açúcar
- Raspa de 1 fava de baunilha aberta ao meio
- 1/4 de xícara de suco de limão coado
- 1/2 colher (chá) de essência de baunilha

Numa panela, junte a água, o açúcar, a raspa de baunilha e o suco de limão. Leve ao fogo e ferva até o ponto de calda rala (quando começar a brilhar). Retire do fogo e acrescente a essência de baunilha. Desenforme o pudim e arrume as fatias de carambola em volta. Sirva acompanhado da calda de limão.

6 porções

PANNA COTTA COM CALDA DE FRAMBOESA FRESCA

panna cotta

- 5 folhas de gelatina incolor sem sabor
- 5 colheres (sopa) de água
- 1 lata de leite condensado
- 1 xícara de leite
- 1 1/4 de xícara de creme de leite fresco
- 1/2 colher (chá) de baunilha

Hidrate a gelatina na água até amolecer. Escorra o excesso de água. Derreta a gelatina em banho-maria ou no micro-ondas. Bata no liquidificador os ingredientes restantes com a gelatina. Distribua em 8 forminhas individuais umedecidas com água. Leve à geladeira até ficar firme.

calda

- 2 xícaras de framboesa
- 1/2 xícara de açúcar
- 1/2 xícara de água
- 1 colher (sopa) de licor de cassis
- 1 pitada de sal

Numa panela, junte todos os ingredientes e leve ao fogo.
Ferva lentamente até desmanchar toda a fruta. Não processe a calda e nem coe. Deixe esfriar. Desenforme a panna cotta e sirva com a calda em volta.

8 porções

PUDIM DE IOGURTE

3 copos de iogurte natural
1 1/2 lata de leite condensado
1 xícara de açúcar
1/3 de xícara +3 colheres (sopa) de água

Numa tigela, junte o iogurte e o leite condensado e misture com um batedor de mão ou fouet.
Numa panela, coloque o açúcar e a água e ferva lentamente até formar um caramelo fino. Despeje numa forma de furo no meio de 20 cm de diâmetro, espalhando bem o caramelo pelos lados. Distribua o creme de iogurte sobre o caramelo. Leve ao forno preaquecido a 160°C e asse em banho-maria por cerca de 40 minutos ou até ficar firme. Deixe esfriar e leve à geladeira. Na hora de servir, aqueça um pouco a forma e desenforme sobre um prato.

6 porções

MANJAR DE DULCE DE LECHE

2/3 de xícara de açúcar
1/3 de xícara de água
600 g de doce de leite cremoso
1 xícara de leite
7 gemas peneiradas

Numa panela, coloque o açúcar e leve ao fogo até derreter.
Junte a água e mexa até obter uma calda. Divida a calda em 6 forminhas individuais com furo no meio, inclinando para que a calda se espalhe bem pelos lados.
Numa panela, junte o doce de leite e o leite e leve ao fogo, mexendo sempre, até ferver. Coloque as gemas numa tigela e despeje a mistura de doce de leite por cima, mexendo sempre para não talhar.
Volte o creme à panela em fogo baixo, misturando sem parar, por aproximadamente 2 minutos (não deixe ferver).
Peneire o creme e distribua nas 6 forminhas. Leve ao forno preaquecido a 140°C e asse em banho-maria por 45 minutos.
Deixe esfriar e leve à geladeira até a hora de desenformar.

6 porções

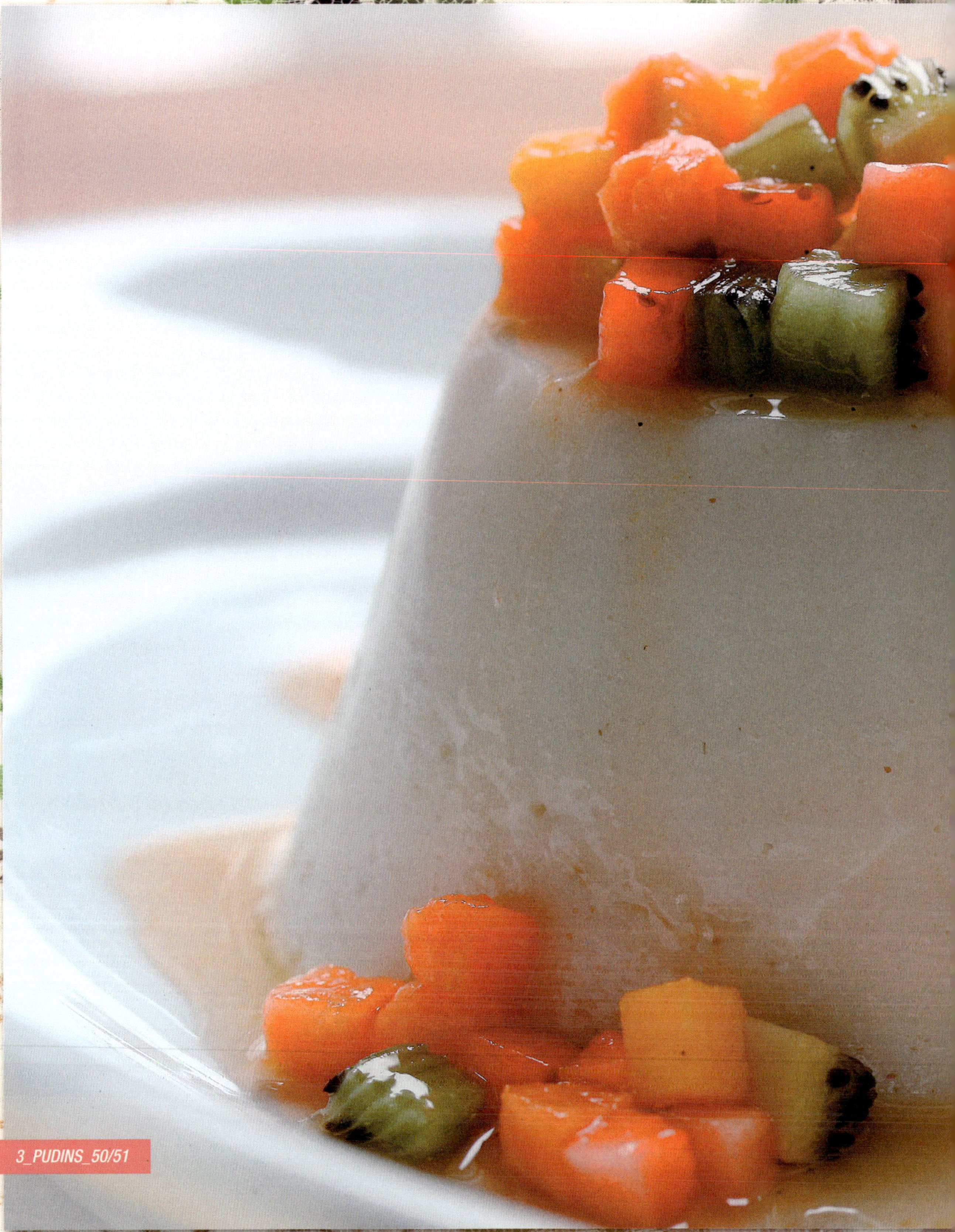

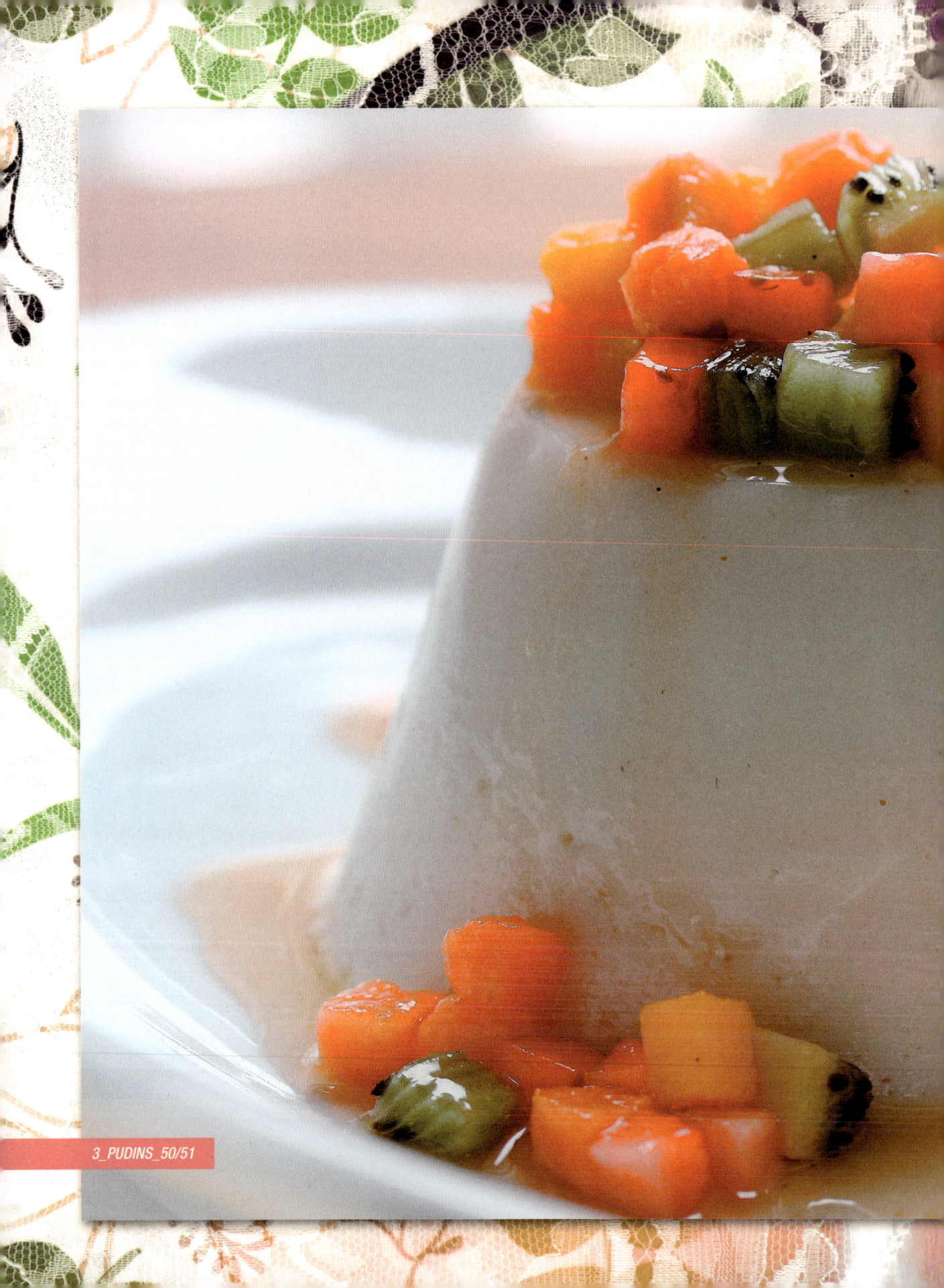

PUDIM DE
FRUTA-DO-
-CONDE
DO CARLOTA
p. 48

3_PUDINS_52/53

PUDIM DE LEITE CONDENSADO

1 lata de leite condensado
2 latas de leite
4 ovos
1/4 de colher (chá) de raspa de laranja bem picadinha
1 xícara de açúcar
1/3 de xícara + 3 colheres (sopa) de água

Numa tigela, junte o leite condensado, o leite, os ovos e a raspa de laranja. Bata com um batedor de mão ou fouet.
Numa panela, coloque o açúcar e a água e ferva até formar uma calda cor de caramelo. Despeje numa forma de furo no meio de 20 cm de diâmetro, inclinando para que a calda se espalhe bem pelos lados. Coloque o creme sobre o caramelo. Leve ao forno preaquecido a 160°C e asse em banho-maria por cerca de 40 minutos, ou até firmar. Deixe esfriar e leve à geladeira. Na hora de servir, aqueça o fundo da forma na chama do fogão e desenforme sobre um prato.

6 porções

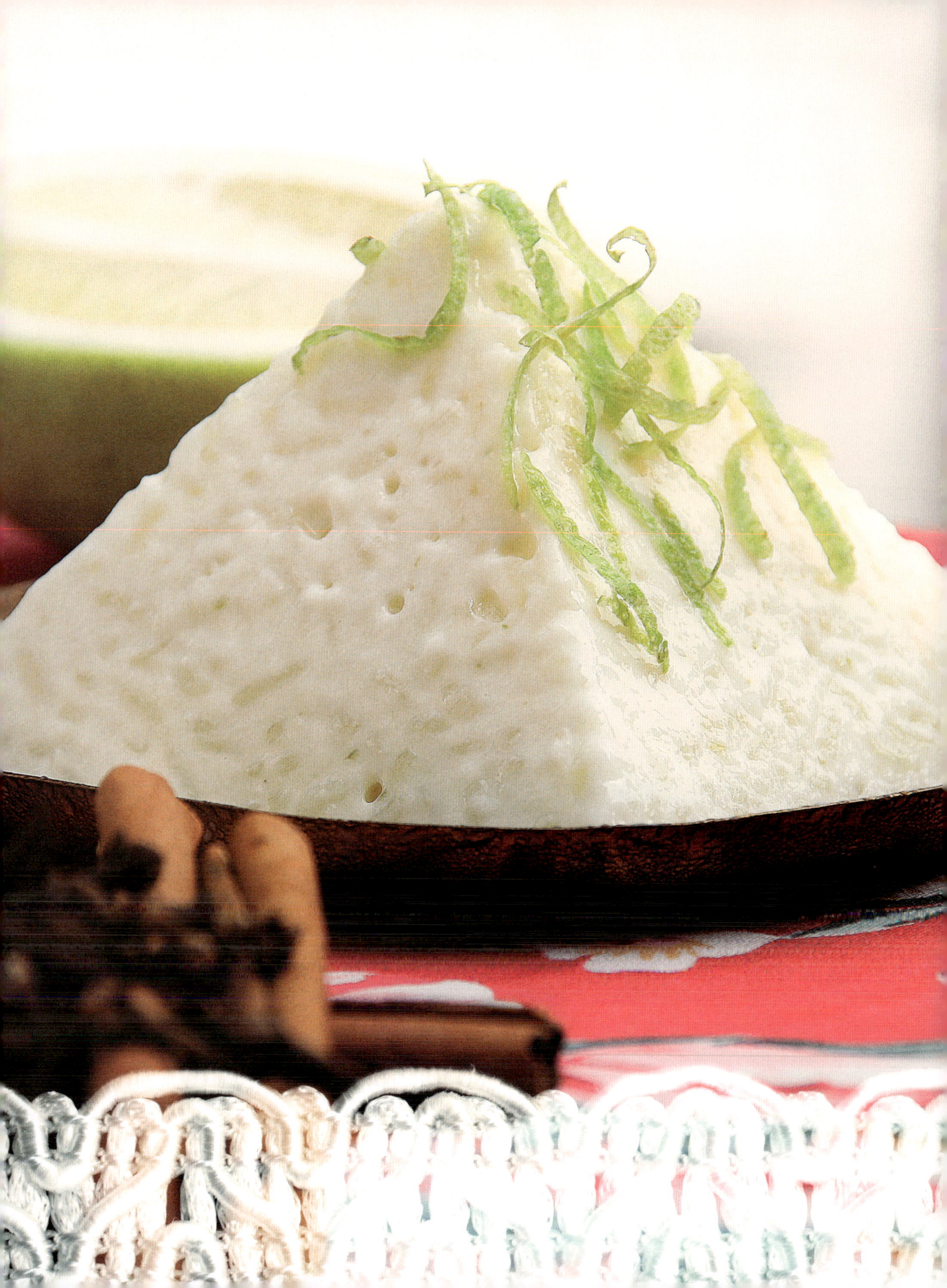

41
BRÛLÉES

tpm

Ela: Quente aqui, né?
Ele: Eu não entendo isso em vocês.
Ela: Vocês?
Ele: Vocês, mulheres. Tão sempre com a temperatura alterada.
Ela: Odeio quando você fala assim.
Ele: O que vamos beber?
Ela: Vinho?
Ele: Garçom!
Ela: Tava pensando...
Ele: Esse Chileno aqui.
Ela: ...
Ele: Hummm. Aqui tem uma empadinha deliciosa!
Ela: ...
Ele: Por que o silêncio agora?
Ela: Você nunca presta atenção no que eu falo.
Ele: Desculpe. O que foi mesmo que você disse?
Ela: Deixa pra lá.
Ele: A gente veio comer! Vamos começar a brigar?
Ela: Jantar não é só comer, Flávio Alberto.
Ele: Pronto, falou que nem a minha mãe.
Ela: Eu não sou sua mãe. Eu cozinho bem.
Ele: Vamos deixar a comida horrível da minha mãe fora disso?
Ela: Por isso que você casou comigo, né?
Ele: Foi. Especialmente pela sua crème brûlée. Hummm.
Ela: Sabia. Você casou com a sua mãe que cozinha!
Ele: Mas a gente nem tem filho.
Ela: Não se faça de burro!
Ele: Olha a ofensa. Vamos pedir a empadinha?
Ela: Do camarão ou palmito?
Ele: Camarão!
Ela: Viu?
Ele: O que foi agora, Denise?
Ela: Eu não posso comer camarão!
Ele: Ah é, esqueci. Então, palmito!
Ela: Você nunca pensa em mim

Ele: Garçom, por favor, uma porção de empada de palmito pra minha mulherzinha querida que não pode comer camarão...
Ela: Você tá ironizando.
Ele: É que trauma de camarão por causa da minha mãe é demais...
Ela: Nunca vi sogra que não sabe cozinhar.
Ele: E a sua mãe, que queima pudim?
Ela: Não fale da minha mãe! Aquilo foi um acidente.
Ele: Foi mesmo.
Ela: ...
Ele: Ok, trégua?
Ela: Tá quente mesmo, né?
Ele: Tive uma ideia.
Ela: Qual?
Ele: Vamos partir logo para a sobremesa?
Ela: Você faria isso por mim?
Ele: Claro, amor.
Ela: Você é mesmo demais.
Ele: Garçom! Duas brûlées de papaia.
Ela: Eu amo a brûlée daqui.
Ele: A sua também é ótima.
Ela: Gentileza sua.
Ele: Você é linda.
Ela: Eu não vejo a hora de sair daqui e dar pra você.
Ele: Boa ideia. Terminou?
Ela: Queria que esse doce não terminasse nunca.
Ele: Garçom! A conta.
Ela: Essa conta é minha.
Ele: O quê? Mulher minha não paga.
Ela: Mulher sua? Como assim, sua?
Ele: Minha, ué.
Ela: Você não é meu dono.
Ele: Mas da conta sou.
Ela: Machista.
Ele: Vai começar?
Ela: Tá quente mesmo, né?
Ele: ...

4_BRÛLÉES_58/59

BRÛLÉE DE PAPAIA COM FRAMBOESA

compota

2 xícaras de framboesa fresca ou congelada
1 xícara de açúcar
1 colher (sopa) de suco de limão
1/3 de xícara de licor de cassis

Numa panela, junte todos os ingredientes, leve ao fogo médio e cozinhe até desmanchar levemente a fruta. Reserve.

brûlée

3 papaias médias
6 bolas de sorvete de creme
1/2 xícara de açúcar para polvilhar

Descasque e tire as sementes das papaias. Bata no liquidificador com o sorvete até ficar cremoso.
Coloque 2 colheres de sopa da compota de framboesa no fundo de 6 forminhas individuais e encha-os com o creme de papaia. Polvilhe o açúcar sobre a superfície e queime com a ajuda de um maçarico. Sirva em seguida.

6 porções

BRÛLÉE DE ABACATE CREMOSA

2 abacates maduros
1 xícara de leite condensado
1/2 colher (chá) de essência de baunilha
1 xícara de açúcar para polvilhar

Descasque os abacates, retire os caroços e bata no liquidificador com o leite condensado e a baunilha até ficar bem liso e cremoso.
Divida em 6 forminhas individuais, polvilhe o açúcar e caramelize a superfície com a ajuda de um maçarico.

6 porções

CRÈME BRÛLÉE CLÁSSICA

2 xícaras de creme de leite fresco
1/3 de xícara de açúcar
4 gemas peneiradas
1 colher (chá) de essência de baunilha
1 colher (sopa) de conhaque
6 colheres (sopa) de açúcar cristal para polvilhar

Numa panela, ferva o creme de leite com o açúcar. Enquanto isso, bata numa tigela as gemas, a baunilha e o conhaque. Junte a mistura de creme de leite e misture bem. Coe com um pano forrando a peneira. Distribua o creme em 6 forminhas individuais. Leve ao forno preaquecido a 150°C e asse em banho-maria por cerca de 30 minutos, ou até que as laterais estejam firmes, mas o centro ainda macio. Deixe esfriar. Na hora de servir, cubra cada forminha com 1 colher de sopa de açúcar e queime com um maçarico até formar uma crosta dourada.

6 porções

CRÈME BRÛLÉE DE CAPIM-LIMÃO

- 2 xícaras de creme de leite fresco
- 1/3 de xícara de açúcar
- 1 xícara de talos de capim-limão picados grosseiramente
- 4 gemas peneiradas
- 1 colher (sopa) de conhaque
- 6 colheres (sopa) de açúcar cristal para polvilhar

Numa panela, ferva o creme de leite com o açúcar e o capim-limão em fogo baixo. Desligue o fogo, tampe a panela e conserve abafado por 10 minutos. Coe.
Numa tigela, bata as gemas e o conhaque. Junte o leite e misture bem. Coe com um pano forrando a peneira.
Distribua o creme em 6 forminhas individuais. Leve ao forno preaquecido a 150°C e asse em banho-maria por cerca de 30 minutos, ou até que as laterais estejam firmes, mas o centro ainda macio. Deixe esfriar.
Na hora de servir, cubra cada forminha com 1 colher de sopa de açúcar cristal e queime com um maçarico até formar uma crosta dourada.

6 porções

ARROZ-DOCE BRÛLÉE

- 3/4 de xícara de arroz branco
- 2 xícaras de leite
- 1/2 lata de leite condensado
- 1/2 canela em pau
- Raspa de 1/2 limão-siciliano bem picada
- 3/4 de xícara de açúcar
- 50 g de chocolate branco derretido em 3 colheres (sopa) de leite
- Açúcar de confeiteiro para polvilhar

Lave o arroz e cozinhe numa panela com água até ficar macio. Escorra bem.
Coloque o arroz de volta na panela e junte os ingredientes restantes. Leve ao fogo e reduza o caldo até começar a ficar cremoso.
Distribua o arroz-doce em 6 forminhas individuais e polvilhe bastante açúcar de confeiteiro. Caramelize com um maçarico.

6 porções

BRÛLÉE DE
ABACATE
CREMOSA
p. 60

4_BRÛLÉES_62/63

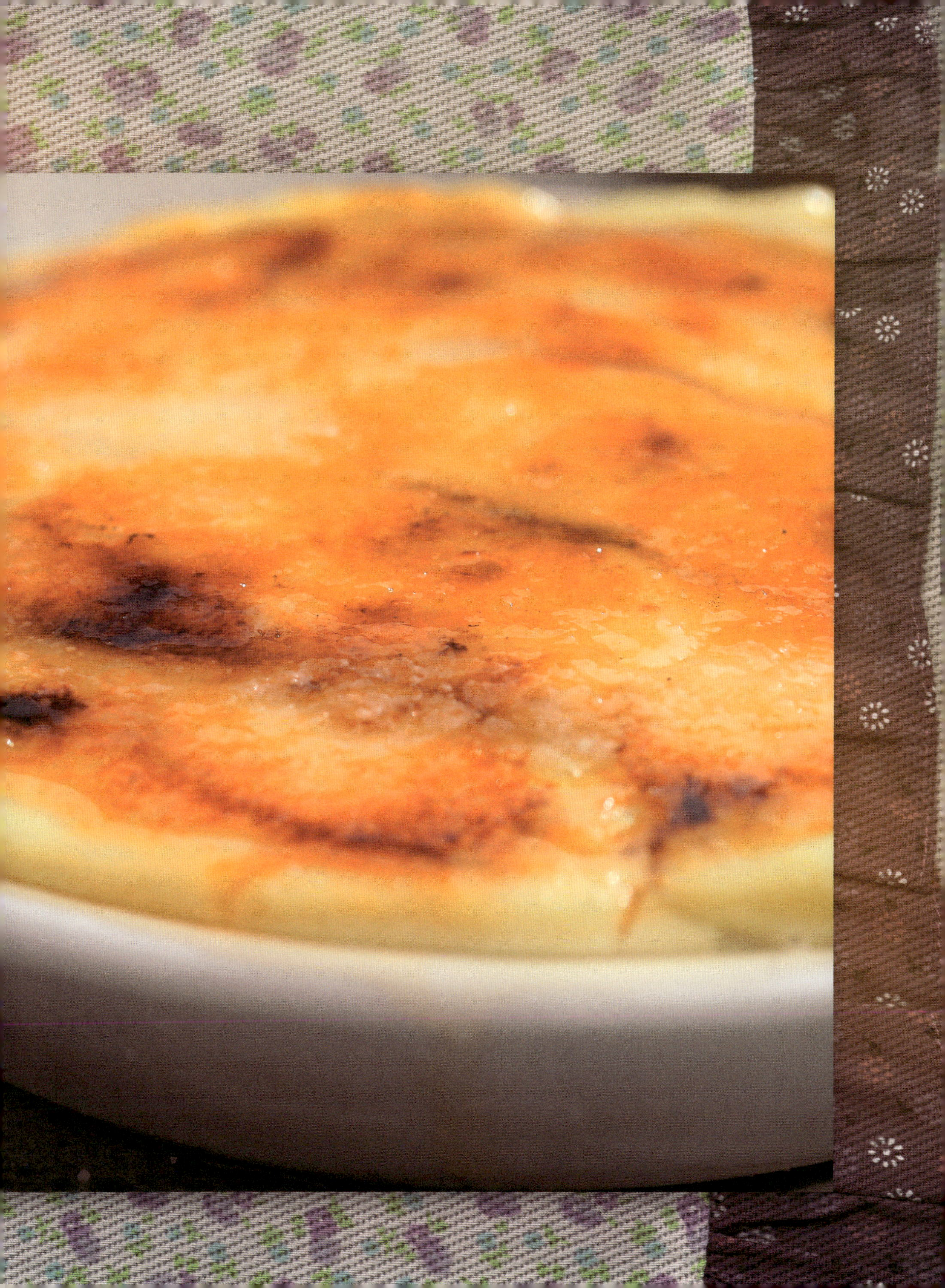

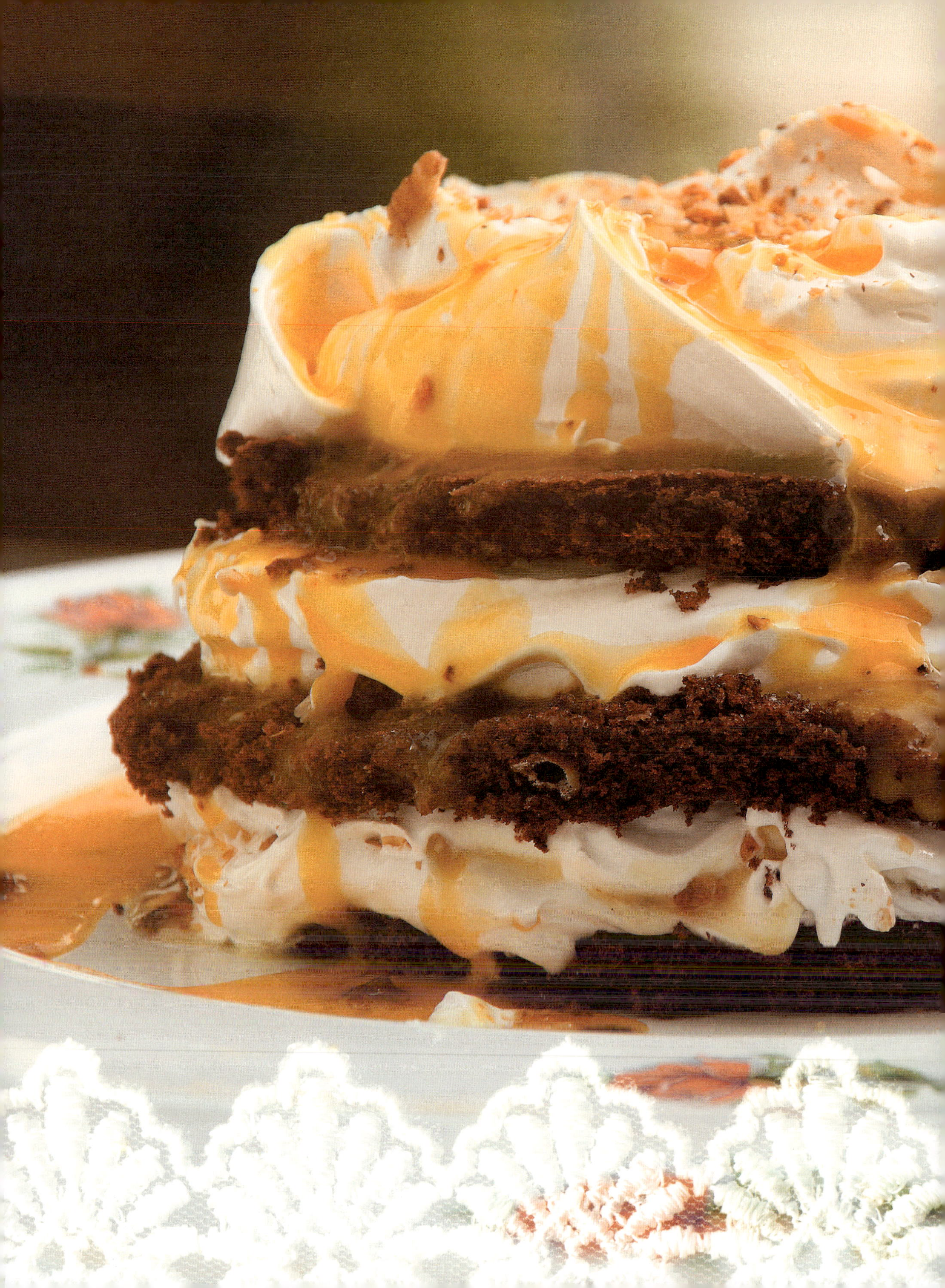

BOLOS

A noiva e o bolo

Essa fatia, recheada com o mais delicioso doce de ovos com nozes, é pra tirar da minha cabeça a cara da sua mãe, de chapéu ridículo e sorriso irônico no altar. E outra lambida nesse divino merengue de cobertura pelo salto quebrado do meu Manolo, que, tomara, ainda esteja enfiado na testa daquele estúpido que você escolheu pra padrinho. Hummmm, mais uma fatia beeemmm graaannnde pelo véu de renda italiana que era da vovó e que ainda deve estar boiando naquele laguinho idiota com chafariz. Quem exigiu igreja com laguinho e chafariz foi você! Bem que mamãe avisou: "Não me vá fazer o próprio bolo, filhinha; dá azar". E mais uma lambida de merengue. Mais outra e mais outra. Pelo bouquet de camélias brancas e frescas atiradas no pé gordo da sua irmã balofa! Droga. Como uma doceira poderia não fazer o próprio bolo de casamento? Eu faço bolo para todas as noivas desta cidade. Isso não é justo! Todos os dias: nozes com coco ou tâmaras? Você prefere merengue batido ou no forno? Pasta americana com ornamentos? Nunca imaginei que no meu... mais uma lambida nesse merengue, que merengue bom. Merengue branquinho como era o meu vestido. Era. Porque agora ele é um trapo rasgado e amarfanhado. Não era só o vestido que o noivo não podia ver antes? Lá vem a noiva, toda de merengue branco, lá lá lá... Tenho mais é que ficar aqui, pra nunca mais esquecer, sentada no chão com esse bolo no colo, rímel na bochecha, batom esfregado na cara toda, cabelo em pé de puro merengue seco com laquê. Eu odeio laquê. A noiva com bolo no colo e cabelo de merengue

laqueado. Rá-rá-rá. Tô ficando doida. A noiva que levou bolo. Parece título de livro cafona. Rá-rá-rá. A doceira que levou o próprio bolo.
Rá-rá-rá. Vem cá, próprio bolo, que eu vou lamber todinho o açúcar de uma vez só.
Enterrar a minha cara nesse recheio até me afogar. Morreu a tadinha? Morreu de bolada. Rá-rá-ráááá...

"Onde estou?"
"Na UTI, trinta quilos de bolo depois."
"Ai, que mau gosto."
"O bolo?"
"Não, a cena."
"Levou bolo?"
"Foi."
"Xiii!"
"Já passou."
"Fui eu que cuidei de você."
"Você é simpático, vem sempre aqui?"
"Sou residente."
"Legal."
...
"Amor?"
"Fala."
"Nozes com doce de ovos ou tâmaras?"
"Você é quem manda."
"Ok."
"E a igreja, pode laguinho com chafariz?"
"Pode."
"Certeza?"
"Eu vou fazer o bolo, então pode ter o laguinho."
"Tem razão."
"Lembra do combinado?"
"Um bolo nunca é igual ao outro."
"Isso."
"Te amo."
"Eu também te amo."

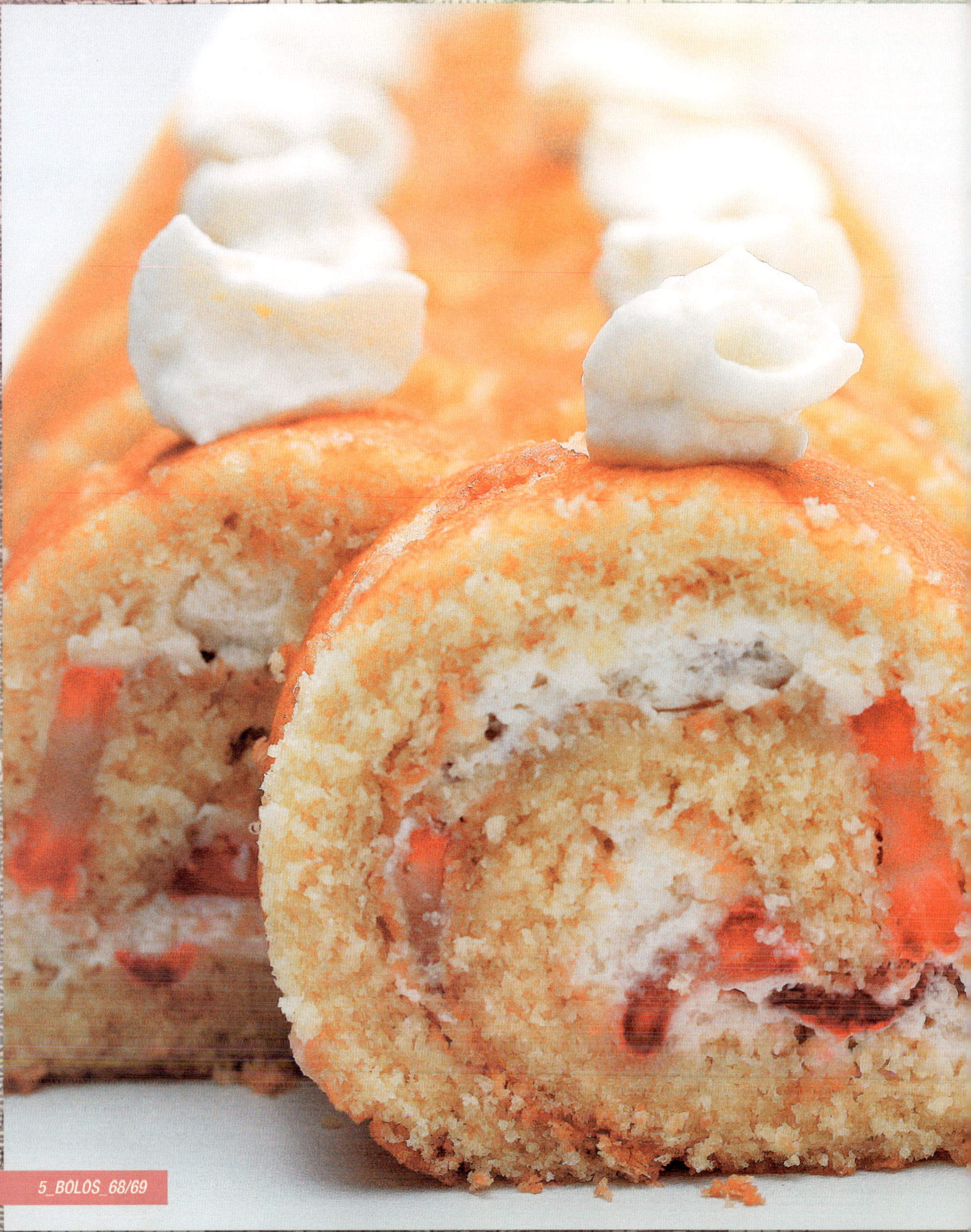

PÃO DE LÓ DE BAUNILHA CLÁSSICO

6 ovos
1 pitada de sal
6 colheres (sopa) de açúcar
6 colheres (sopa) de farinha de trigo
1 colher (chá) de essência de baunilha
Manteiga para untar

Num bowl, junte os ovos, o sal e o açúcar e leve ao fogo baixo em banho-maria, mexendo sem parar, até aquecer levemente. Bata com a batedeira até triplicar de volume. Incorpore a farinha, pouco a pouco, e misture delicadamente com uma espátula. Acrescente a baunilha.
Unte com manteiga uma forma redonda de 22 cm de diâmetro, forre com papel-manteiga e distribua a massa.
Leve ao forno a 150°C e asse por cerca de 45 minutos ou até que enfiando um palito este saia bem sequinho do centro. Desenforme depois de frio e recheie a gosto.

8 porções

BOLO
DENSO DE
CHOCOLATE
p. 72

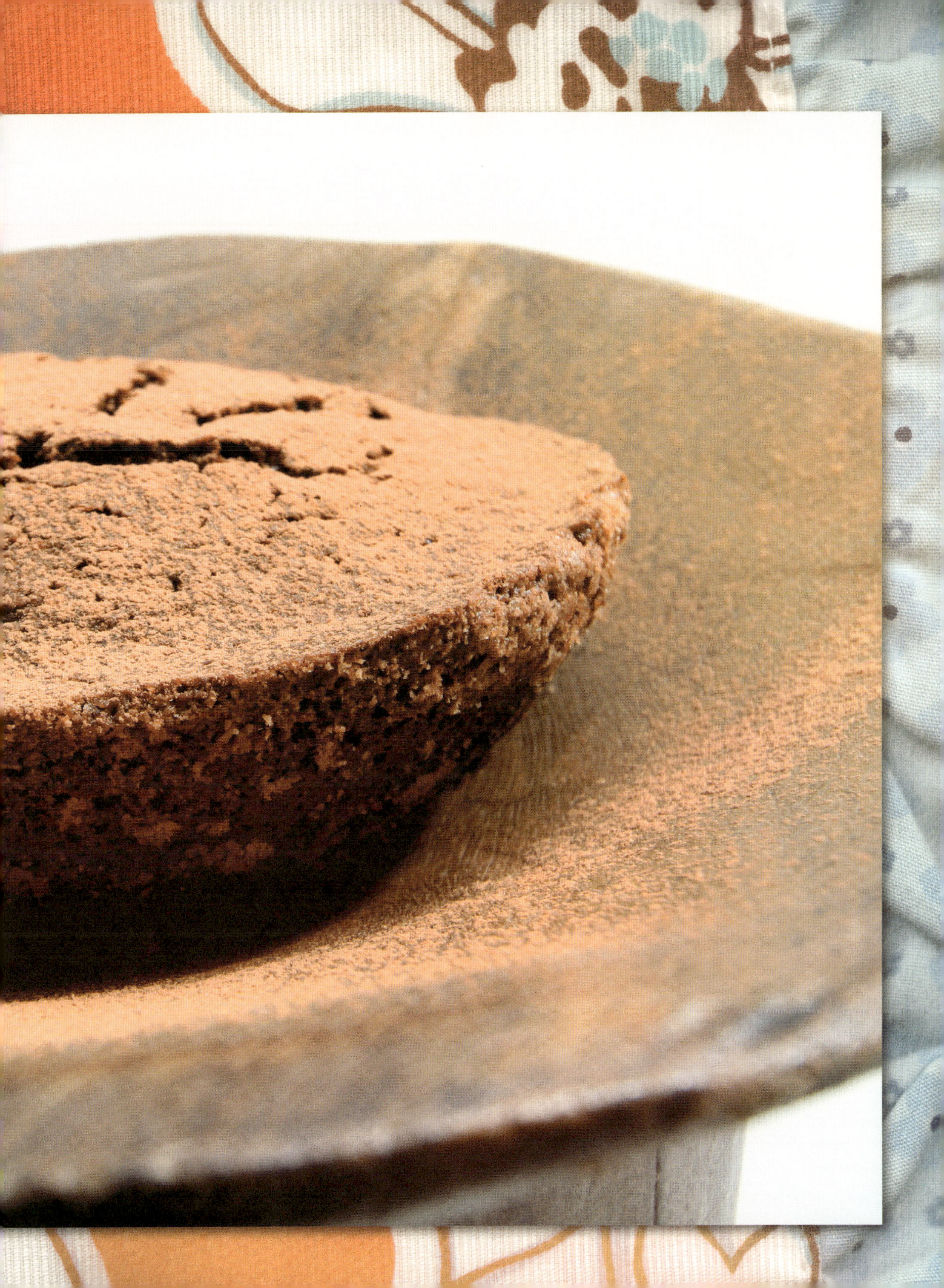

BOLO DENSO DE CHOCOLATE

1 xícara de manteiga
1 2/3 de xícara de açúcar mascavo
2 ovos batidos
1 colher (chá) de essência de baunilha
120 g de chocolate meio amargo derretido em banho-maria
1 1/3 de xícara de farinha de trigo
1 colher (chá) de fermento em pó
1 xícara de água fervente
Manteiga para untar
Farinha de trigo para polvilhar

Bata com a batedeira a manteiga com o açúcar até formar um creme.
Junte os ovos, a baunilha e o chocolate derretido e bata mais um pouco.
Numa tigela, junte a farinha e o fermento. Misture ao creme de chocolate, alternando com a água.
Unte com manteiga e polvilhe com farinha uma forma quadrada de 22 cm de lado. Distribua a massa. Leve ao forno a 150°C e asse por 10 minutos, diminua para 140°C e asse por mais 25 minutos ou até que enfiando um palito este saia bem sequinho do centro.
Deixe esfriar e desenforme.

6 porções

BOLO DE TAPIOCA

6 ovos
200 g de manteiga
2 xícaras de açúcar
1 xícara de leite
2 xícaras de leite de coco
1/2 xícara de coco seco ralado
3 xícaras de tapioca
1 colher (sopa) de fermento em pó
Manteiga para untar
Farinha de trigo para polvilhar
1/2 lata de leite condensado para regar

Numa tigela, bata as claras em neve e reserve. Em outra tigela, bata a manteiga com o açúcar até esbranquiçar. Junte as gemas, o leite, o leite de coco e o coco ralado e bata mais um pouco. Acrescente a tapioca e bata até misturar. Incorpore delicadamente o fermento e as claras em neve. Unte com manteiga e polvilhe com farinha de trigo uma forma de furo no meio de 30 cm de diâmetro e distribua a massa. Leve ao forno preaquecido a 160°C e asse por cerca de 30 minutos. Quando ficar morno, desenforme e regue com leite condensado.

8 porções

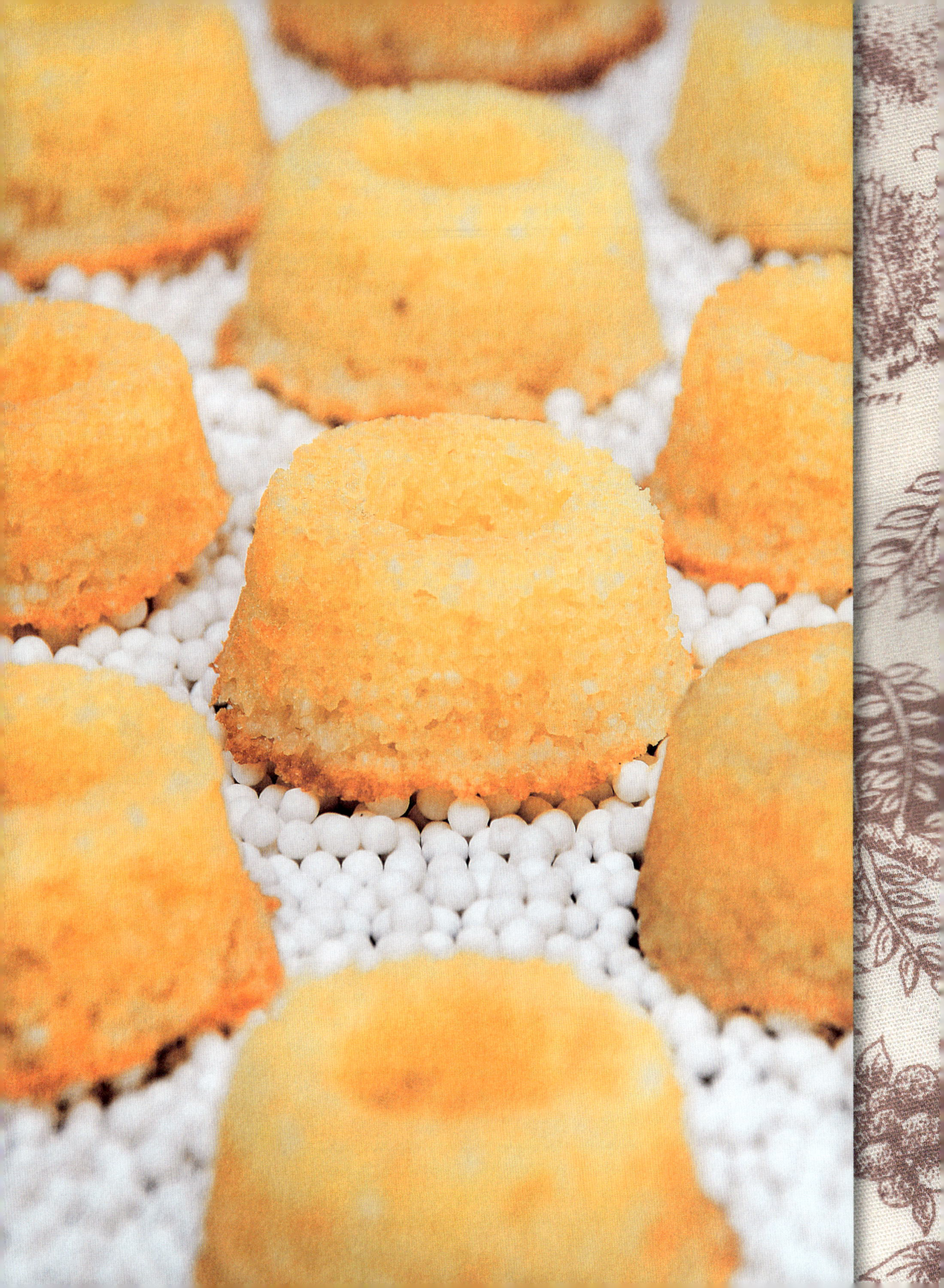

OVELHA
NEGRA
p. 76

5_BOLOS_74/75

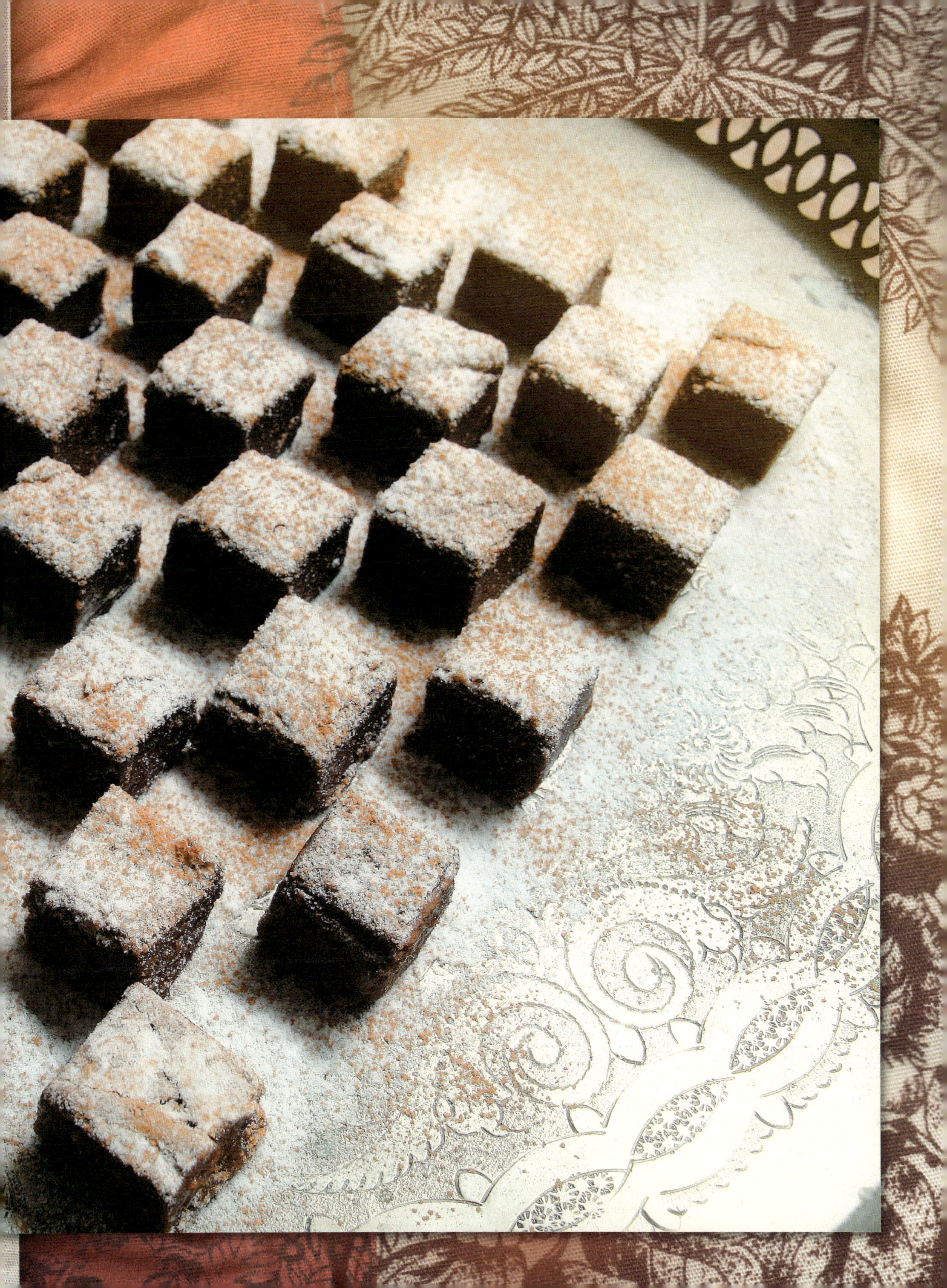

OVELHA NEGRA

570 g de chocolate meio amargo
340 g de manteiga
8 ovos
3 1/2 xícaras de açúcar
3 1/2 xícaras de farinha de trigo
1 pitada de sal
1 colher (chá) de fermento em pó
100 g de nozes bem picadas
Manteiga para untar
Farinha de trigo para polvilhar
Farinha de trigo para empanar
2 ovos batidos para empanar
Farinha de rosca com chocolate em pó
  e açúcar de confeiteiro para empanar
Óleo e manteiga para fritar
Calda de rapadura (ver p. 137)
Sorvete de creme para acompanhar
Chocolate em pó para polvilhar

Numa panela, derreta o chocolate com a manteiga. Com a raquete da batedeira, bata os ovos com o açúcar até dobrar de volume. Junte a farinha aos poucos, batendo em velocidade baixa. Adicione cuidadosamente a mistura de chocolate, o sal, o fermento e as nozes.
Unte com manteiga e polvilhe com farinha uma assadeira de 30 cm x 40 cm e distribua a massa.
Leve ao forno preaquecido a 150°C e asse por 15 minutos. Deixe esfriar e corte em quadrados de 5 cm.
Leve à geladeira até gelar. Passe na farinha de trigo, depois no ovo e na farinha de rosca com chocolate e açúcar de confeiteiro. Numa frigideira, frite os bolinhos num pouco de óleo e manteiga, até formar uma casquinha em toda a volta.
Num prato fundo, disponha um pouco da calda de rapadura, o bolinho e uma bola de sorvete de creme por cima. Polvilhe com chocolate em pó.

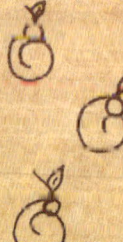

12 porções

BOLO MÁRMORE

4 ovos
1 pitada de sal
1 1/2 xícara de açúcar
1 xícara de leite
100 g de manteiga em temperatura ambiente
2 xícaras de farinha de trigo
1 colher (sopa) de fermento em pó
1/2 colher (chá) de essência de baunilha
2 colheres (sopa) de chocolate em pó
Manteiga para untar
Farinha de trigo para polvilhar

Bata com a batedeira as claras em neve com o sal. Junte as gemas, o açúcar, o leite, a manteiga e bata só o suficiente para misturar.
Por último, acrescente a farinha e o fermento e misture sem bater.
Divida a massa em duas partes. Junte a baunilha a uma delas e o chocolate à outra.
Unte com manteiga e polvilhe com farinha uma forma de bolo inglês de 25 cm x 15 cm. Coloque a massa branca e, por cima, a com chocolate. Não misture, deixe as massas se misturarem sozinhas.
Leve ao forno preaquecido a 160°C e asse por cerca de 30 minutos ou até que enfiando um palito este saia bem sequinho do centro.
Retire do forno e desenforme depois de frio.

8 porções

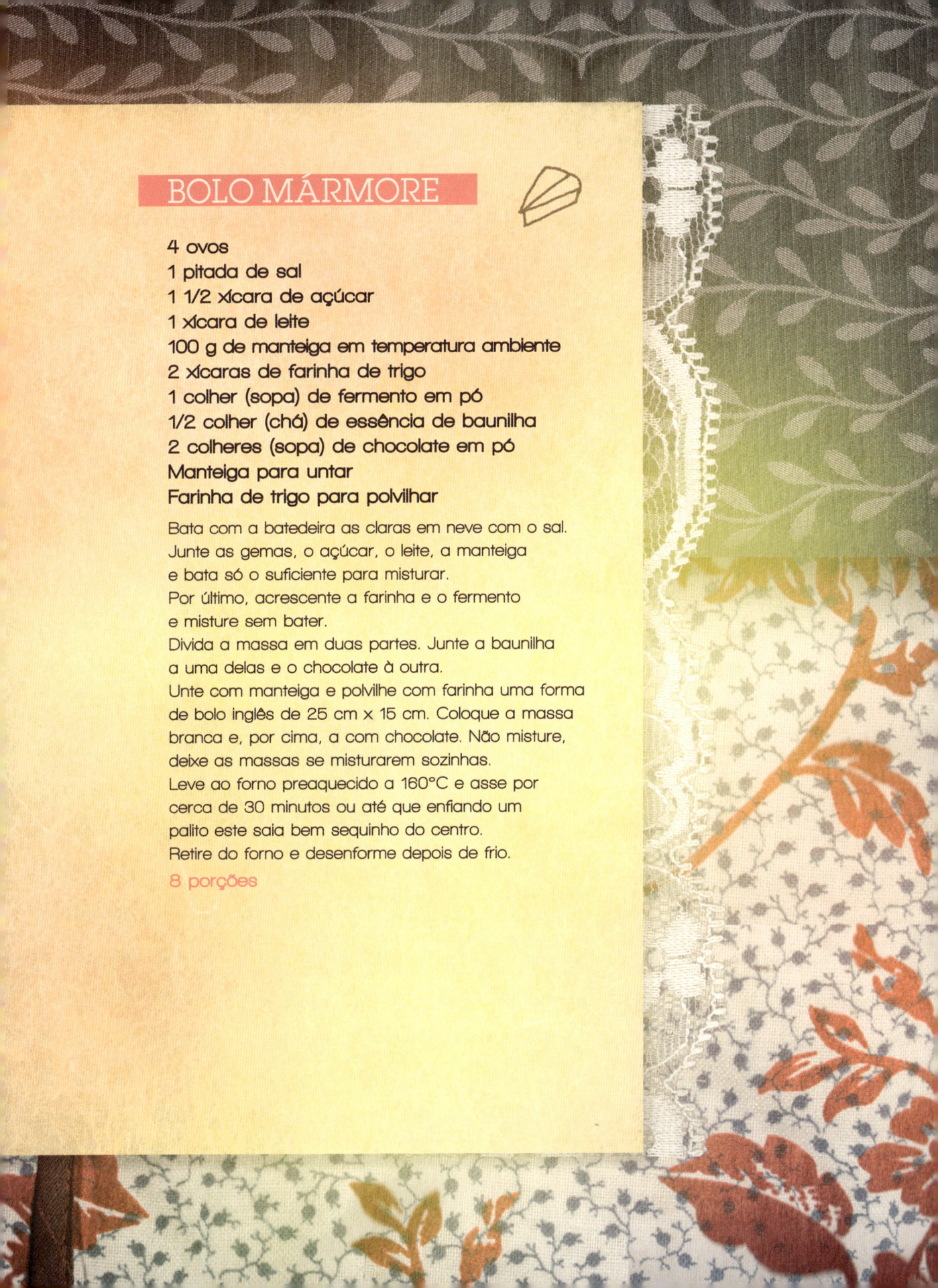

5_BOLOS_78/79

BOLO
MÁRMORE
p. 77

5_BOLOS_80/81

BOLO SUÍÇO DE AMÊNDOA, CENOURA E DAMASCO

massa

6 ovos
1 1/2 xícara de açúcar
1 colher (sopa) de raspa de limão
300 g de cenoura ralada
300 g de amêndoa sem pele moída
4 colheres (sopa) de amido de milho ou farinha de trigo
1/2 colher (chá) de canela em pó
1 pitada de cravo-da-índia em pó
1 colher (chá) de fermento em pó
1 pitada de sal
2 colheres (sopa) de rum (opcional)
3 colheres (sopa) de geleia de damasco
Manteiga para untar
Farinha de trigo para polvilhar

Bata com a batedeira as gemas, o açúcar e a raspa de limão até formar um creme esbranquiçado. Junte a cenoura e a amêndoa e misture. Acrescente o amido, a canela, o cravo, o fermento e o sal e misture delicadamente.
Adicione o rum ou algum outro licor de sua preferência.
Bata as claras em neve e incorpore à massa.
Unte com manteiga e polvilhe com farinha uma forma de 30 cm de diâmetro e distribua a massa. Leve ao forno a 160°C e asse por aproximadamente 40 minutos. Desenforme o bolo ainda quente, espalhe por cima a geleia de damasco.

cobertura

1/2 clara
150 g de açúcar de confeiteiro
2 colheres (sopa) de suco de limão
Açúcar de confeiteiro para polvilhar (opcional)

Numa tigela, bata a clara levemente, junte o açúcar e o suco de limão e bata mais um pouco.
Espalhe sobre a geleia de damasco ou, se preferir, apenas polvilhe açúcar de confeiteiro sobre o bolo.

12 porções

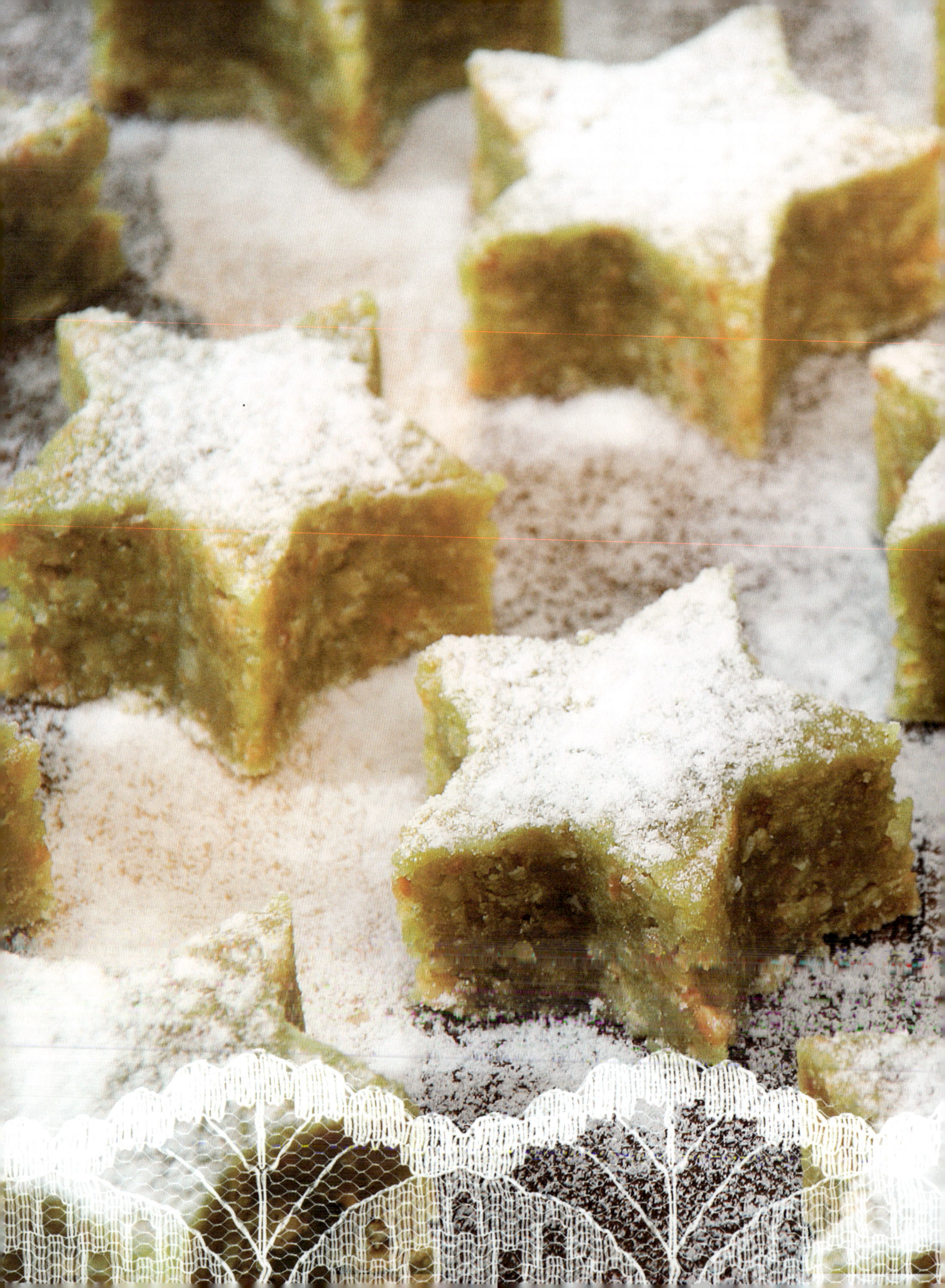

DOCINHOS

A doceira virgem

Entreguei minha vida a Deus. Sou freira e vivo neste convento desde os doze anos de idade. Aqui fazemos todo tipo de serviço, mas algumas, as de maior talento, se dedicam a trabalhos específicos. Cedo percebi que meu lugar era na cozinha. Foi lá que aprendi os valores mais importantes: gratidão, humildade, generosidade... e prazer. Cozinhar é um dos mais sublimes prazeres que um ser humano pode conhecer. É doação em estado puro.

Sempre fui devota, mas não do tipo durona. Uma rapadura, como a sor Ana.

Uma bala quebra-queixo, como a madre Lúcia. Sou mais do tipo claras em neve, espuminha de coco, pavê de maracujá, sabe? Eu já disse que minha especialidade é doce? Mas não foi sempre assim. Meu talento para os doces foi despertado quando, um dia, bateu à porta do convento um novo fornecedor de açúcar.

Não nos mostrávamos a ninguém. Toda a comunicação era feita através de uma treliça, e as entregas e pagamentos, por meio de uma portinhola ao pé da porta.

Digo isso para que fique claro que eu jamais o vi. Ouvia apenas a sua voz. Quando se vive entre iguais, o diferente assume uma periculosidade extrema. Basta ser outra coisa para que a curiosidade comece a espiar através da nossa alma.

Foi assim. Um "bom-dia" aqui, um "até breve" ali. E o meu interesse pelos doces começou a crescer. Eu nunca tinha escutado voz tão divina. Em poucos meses me tornei uma das mais produtivas na cozinha. Fazia doces e mais doces que eram vendidos na forma de toucinhos do céu, rapadurinhas de doce de leite, bombons de chocolate melado. Meus doces ficaram famosos.

O açúcar passou a ser entregue mais de uma vez por mês, depois uma vez por semana, a cada cinco dias, a cada três dias. Inventei que ele precisava dizer uma senha toda vez que batesse à porta.

Fiz isso só para ouvi-lo dizer: "Ó linda". Essa era a senha. Como estamos em Pernambuco, ninguém suspeitou da minha intenção. Eu passava o dia a ouvir meu doce entregador falar: "Ó linda, ó linda". Ainda hoje ouço o elogio ignorado por aquela voz adocicada. Pra lidar com os pensamentos proibidos, eu gostava de amassar bem a farinha com leite e ovos até atingir um ponto que só eu conseguia alcançar. Então eu deixava que ela escorresse por entre os dedos. Era uma bênção.

O açúcar era usado em tudo. Até na água, porque essa era a única maneira de eu me manter, digamos, calma.

Um dia, do mesmo jeito que ele havia aparecido, sumiu. E eu, como num chamamento, continuei a produzir os doces mais lindos todos os dias da minha vida.

Nunca parei. Até que minha hora chegou, e eu considerei que este é o momento de contar toda a verdade.

Fiquem com minhas devotadas receitas e com esta confissão sincera – como penitência por ter amado a voz daquele homem. Nunca comi um único doce sequer.

Até hoje. Mas a história ainda não chegou ao fim. E já que é papel do doce finalizar as refeições, como último desejo, entrego minha vida finalmente a este. Um *grand final*. Perdão, senhor, mas vou comê-lo inteirinho.

NEGRINHO MELADO

1 lata de leite condensado
1 colher (sopa) de manteiga
2 colheres (sopa) de melado de cana
2 colheres (sopa) de chocolate em pó
1 pitada de sal
200 g de chocolate granulado para decorar
Manteiga para untar
Ouro em pó para decorar

Numa panela, misture todos os ingredientes e leve ao fogo médio, mexendo sem parar com uma colher de pau, até desgrudar completamente do fundo da panela.
Passe para um bowl untado e deixe esfriar.
Com as mãos untadas, faça bolinhas do tamanho desejado e passe no granulado.
Decore com o ouro em pó e distribua em forminhas de papel laminado.

10 porções

OVINHOS DE COCO

1 lata de leite condensado
1 colher (sopa) de manteiga
1 xícara de coco fresco ralado
2 gemas
4 cravos-da-índia
1 pitada de sal
300 g de fios de ovos para decorar

Numa panela, misture todos os ingredientes e leve ao fogo baixo, mexendo sem parar até desgrudar completamente do fundo da panela. Retire os cravos.
Deixe a massa de coco esfriar e faça bolinhas de 2 cm de diâmetro aproximadamente.
Finalize envolvendo as bolinhas com fios de ovos.
Deixe secar por algumas horas e sirva, se preferir, em forminhas de papel laminado.

10 porções

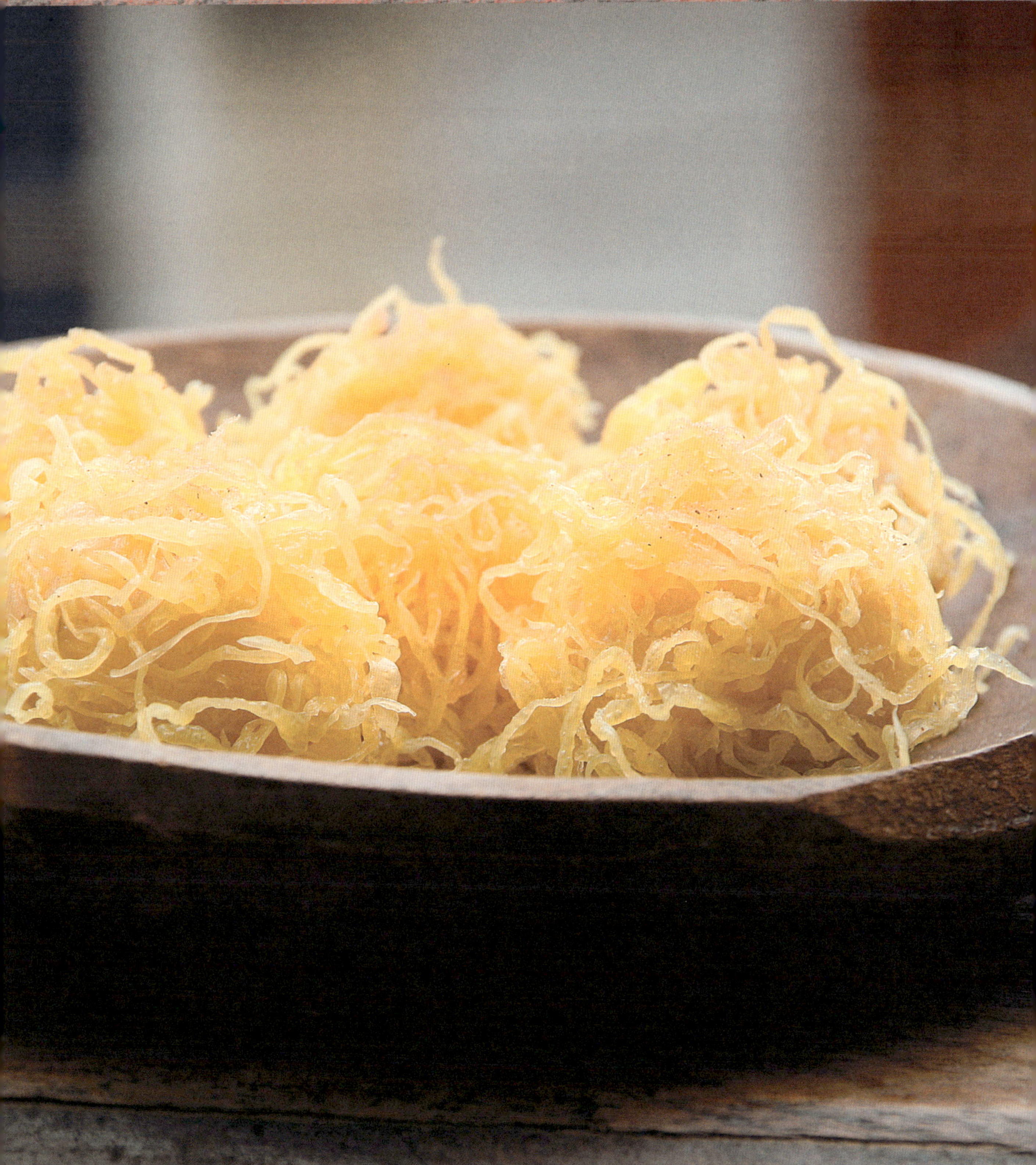

NEGRINHO
MELADO
p. 86

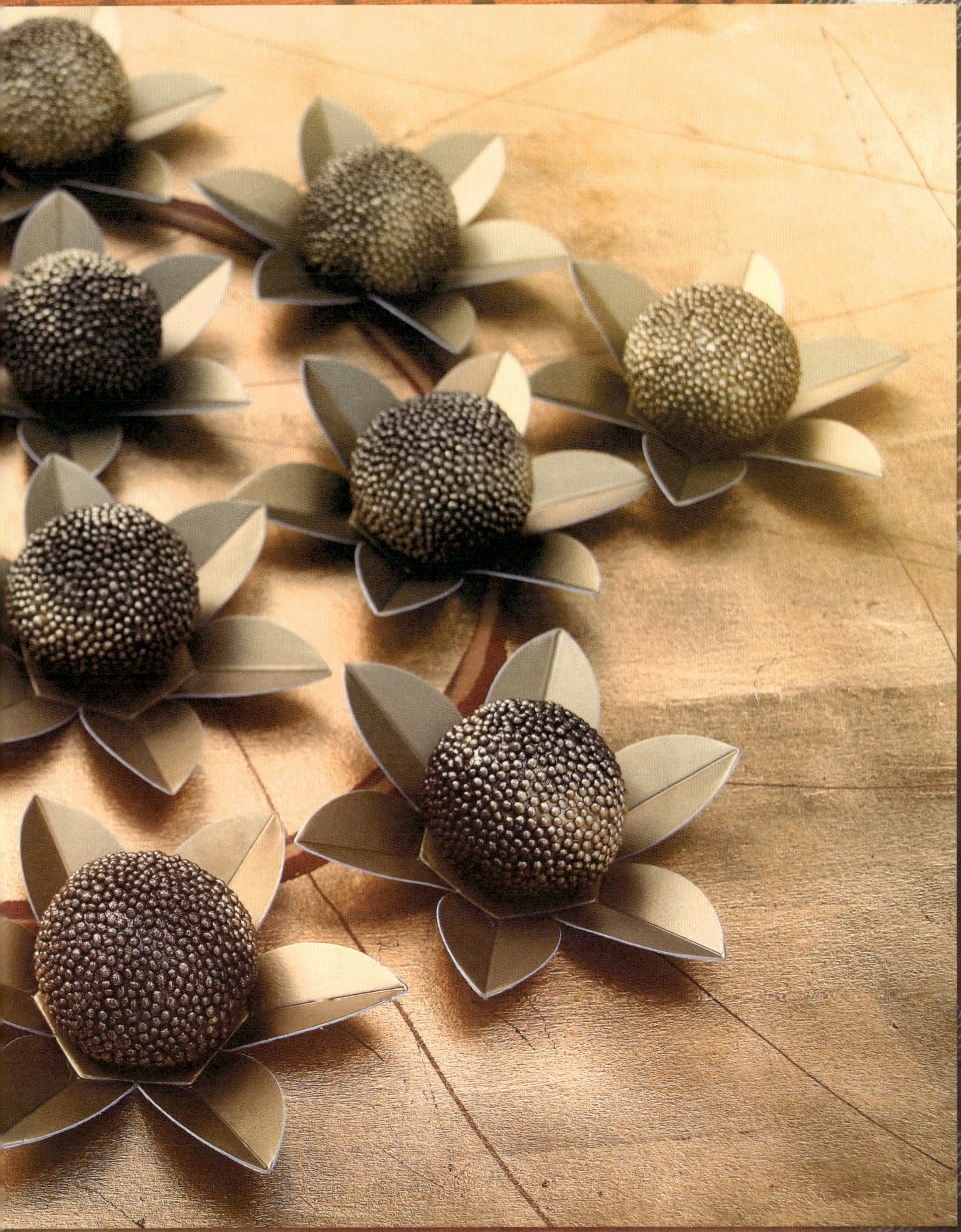

6_DOCINHOS_90/91

CAMAFEU

fondant
3/4 de xícara de Glaçúcar
1 colher (sopa) de rum
2 colheres (sopa) de água quente

Numa tigela, misture todos os ingredientes.

recheio
3 latas de leite condensado
1/2 colher (sopa) de chocolate em pó
100 g de nozes moídas
2 colheres (sopa) de açúcar
2 gemas
Manteiga para untar
Nozes para enfeitar

Numa panela, leve ao fogo todos os ingredientes. Cozinhe até soltar do fundo da panela, mexendo sempre com uma colher de pau. Retire do fogo, coloque num prato fundo untado e deixe esfriar. Enrole os docinhos em formato de minicroquetes e passe no fondant. Coloque por cima de cada um 1/2 noz. Distribua em forminhas de papel laminado.

20 porções

NINHO DE CUPUAÇU

massa

1 lata de leite em pó integral
2 1/2 xícaras de açúcar
4 colheres (sopa) de chocolate em pó
2/3 de xícara de leite

Numa tigela, peneire o leite em pó, o açúcar e o chocolate. Acrescente o leite aos poucos, misturando, até formar uma bola. Deixe descansar por cerca de 15 minutos em temperatura ambiente, coberta com um pano.

recheio

1 lata de leite condensado
2 gemas
1/2 xícara de polpa de cupuaçu
1 colher (sopa) de manteiga
Açúcar para decorar

Numa panela, leve todos os ingredientes ao fogo baixo, mexendo sem parar até desgrudar completamente do fundo da panela. Passe para um bowl e deixe resfriar. Faça bolinhas de 1,5 cm de diâmetro com o recheio e com a massa. Nas bolinhas de massa, aperte com um dos dedos para formar um buraco e encaixar a bolinha de recheio, como um ovo dentro de um ninho.
Passe os docinhos pelo açúcar e distribua em forminhas de papel laminado.

12 porções

DOCINHO INDIANO

- 1 lata de leite condensado
- 2 gemas
- 2 colheres (sopa) de manteiga
- 1/4 de xícara de uvas-passas bem picadinhas
- 1/4 de xícara de tâmaras bem picadinhas
- 1/4 de xícara de nozes bem picadinhas
- 1 pitada de sal
- 30 damascos turcos secos médios para montar
- Manteiga para untar
- Açúcar para decorar

Numa panela, junte o leite condensado, as gemas, a manteiga, as frutas secas picadas e o sal. Leve ao fogo baixo, mexendo sem parar até desgrudar completamente do fundo da panela. Despeje num bowl e deixe esfriar.
Abra os damascos ao meio, como uma borboleta, não separando completamente as duas partes.
Com as mãos untadas com manteiga, faça bolinhas de 2 cm de diâmetro e recheie os damascos, apertando-os bem para grudar e fechar.
Passe no açúcar e coloque em forminhas de papel laminado.

10 porções

TOUCINHO DO CÉU DE PISTACHE

- 2 1/2 xícaras de açúcar
- 1 xícara de água
- 200 g de amêndoa sem pele, levemente torrada e moída
- 300 g de pistache moído
- 300 g de manteiga
- 18 gemas peneiradas
- 1/2 colher (chá) de essência de amêndoa
- Manteiga para untar
- Açúcar de confeiteiro para polvilhar

Numa panela, leve o açúcar e a água ao fogo baixo e ferva lentamente sem mexer até a calda começar a brilhar.
Retire do fogo, junte a amêndoa, o pistache e a manteiga, misturando vigorosamente para não cristalizar. Em seguida, adicione as gemas e misture bem para não deixá-las talhar.
Volte a panela ao fogo baixo, junte a essência e mexa sem parar até desgrudar do fundo da panela.
Unte um tabuleiro com manteiga, forre com papel-manteiga também untado e espalhe o doce. Deixe descansar por cerca de 30 minutos. Leve ao forno preaquecido a 140°C por aproximadamente 20 minutos ou até que se forme uma película fina sobre o doce. Deixe esfriar. Ao servir, corte em pedaços e polvilhe açúcar de confeiteiro.

12 porções

6_DOCINHOS_94/95

NINHO DE
CUPUAÇU
p. 92

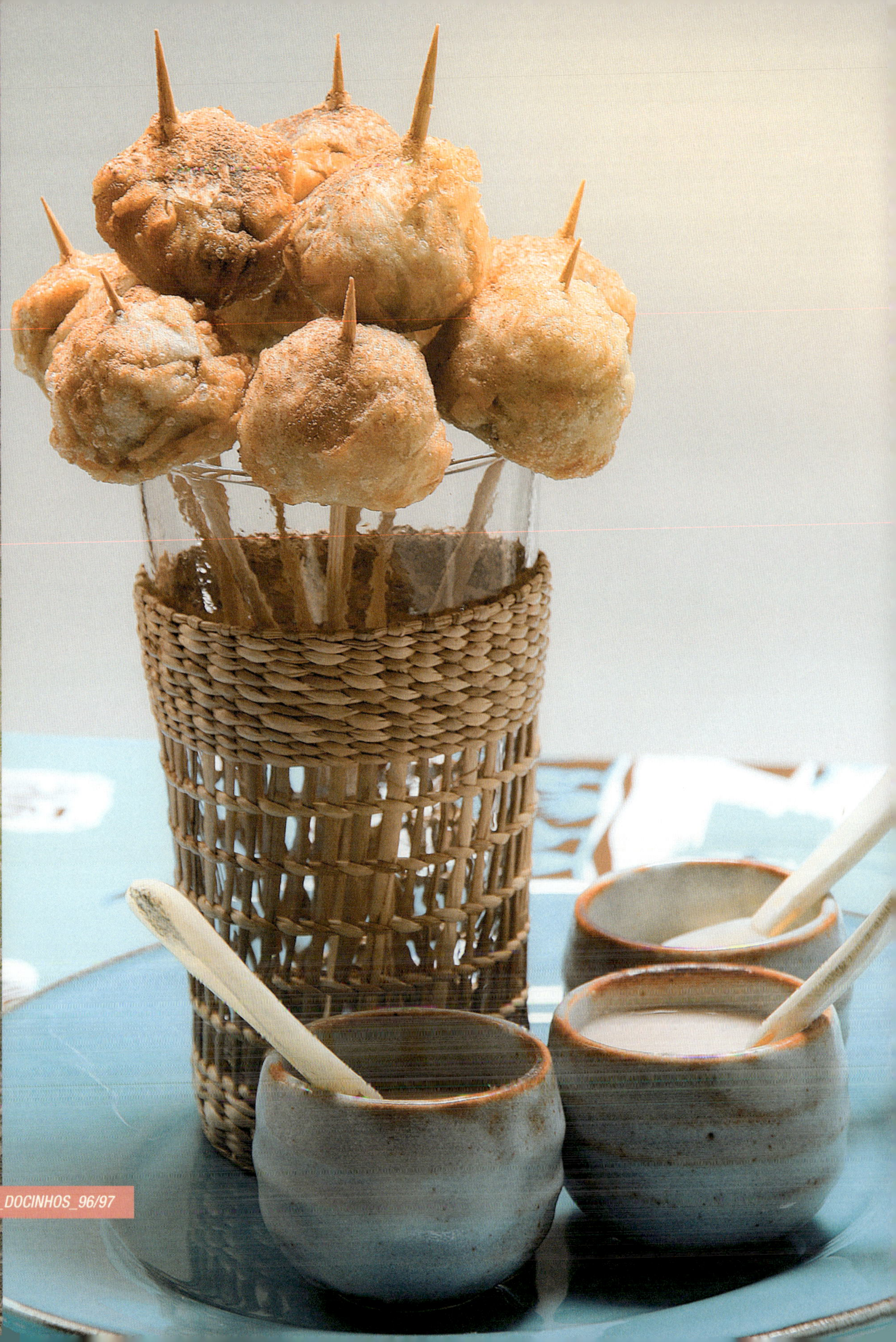

BOMBOLONES DE CHOCOLATE

bombons

290 g de chocolate meio amargo
230 g de manteiga
2 ovos
6 gemas
1/2 colher (chá) de essência de baunilha
1 1/2 colher (sopa) de açúcar
1 pitada de sal
Massa filo para finalizar
Ovo batido para pincelar
Óleo para untar e fritar
2 colheres (sopa) de farinha de trigo

Numa panela, derreta o chocolate com a manteiga. Junte os ovos, as gemas, a baunilha, o açúcar e o sal e bata bem com um batedor de mão ou fouet. Leve a massa à geladeira envolta em filme plástico por cerca de 2 horas. Faça bolinhas de aproximadamente 2 cm de diâmetro e leve à geladeira novamente.
Corte a massa filo em 30 quadrados de 12 cm e pincele com ovo batido. Coloque uma bolinha de chocolate num dos cantos da massa e enrole até a bolinha ficar toda envolta pela massa.
Se necessário, pincele com ovo para fechar bem a massa.
Coloque os bombons num recipiente untado com óleo.

caldas

1 1/3 de xícara de leite
3/4 de xícara de creme de leite fresco
1/2 xícara + 2 colheres (sopa) de açúcar
8 gemas
2 colheres (sopa) de licor Frangelico
1/2 xícara de framboesa congelada
4 gemas
80 g de farinha de trigo peneirada
120 g de açúcar
Manteiga para untar

Numa panela, ferva o leite, o creme de leite e metade do açúcar.
Enquanto isso, bata com um batedor de mão as gemas com o açúcar restante. Junte um pouco do leite fervido, batendo sempre.
Volte tudo ao fogo baixo, mexendo até engrossar levemente.
Divida essa calda em duas partes.
Acrescente o licor a uma das partes e na que sobrou junte as framboesas e bata no liquidificador.
Na hora de servir, frite em óleo quente 3 bombons por porção.
Espete cada bombom com um palitinho de bambu de 8 cm.
Distribua em potinhos os dois tipos de calda e molhe os bombons.

10 porções

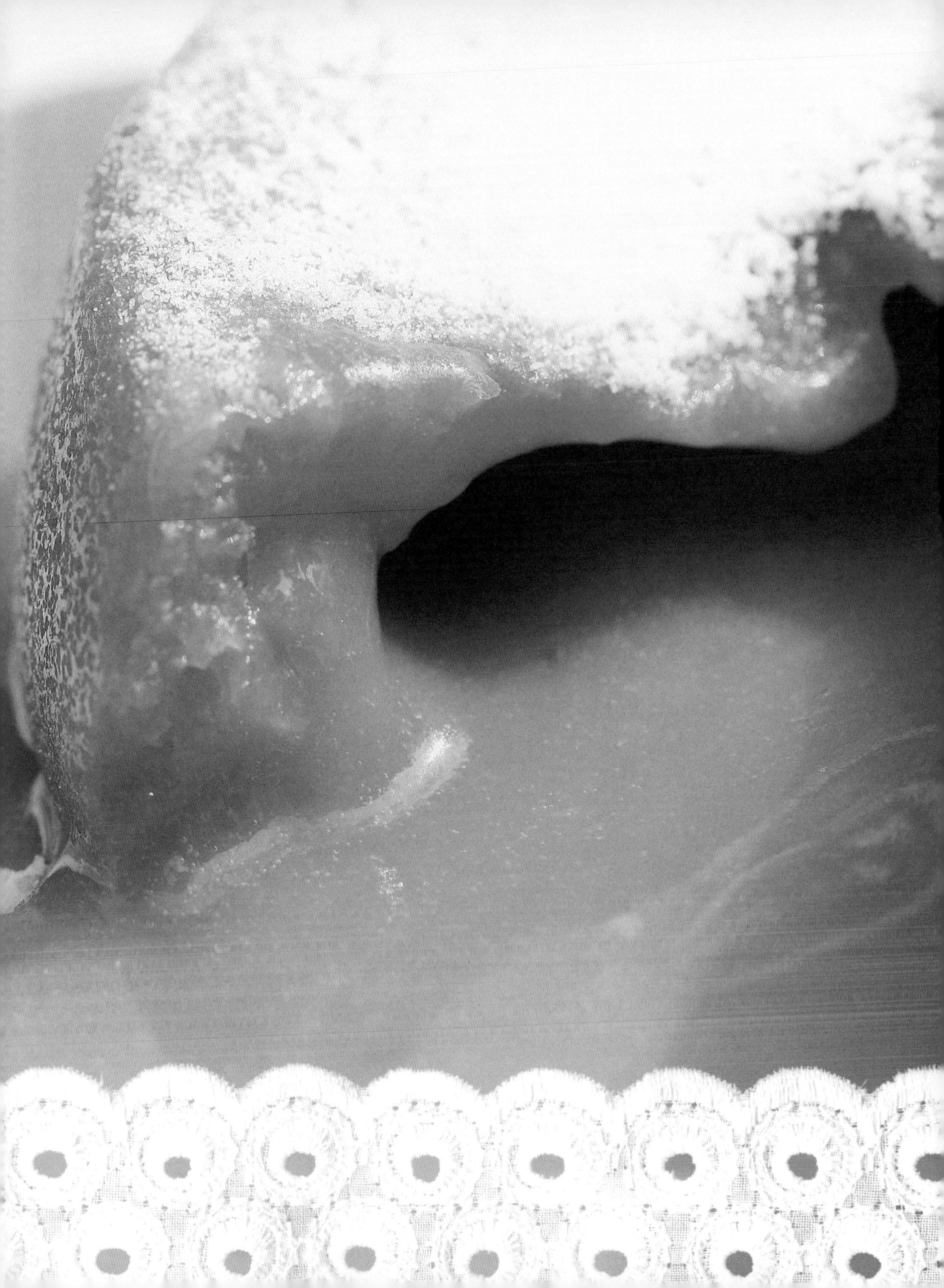

7

GÂTEAUX

O bolinho assassinado

Restaurantes são perfeitos para assassinatos. Pelo menos no cinema é assim. Reparou como todo chefe de máfia morre em restaurante? Alguém entra de arma na mão e cigarro no canto da boca, faz uma pergunta, para a qual normalmente não importa a resposta, e sai atirando, fazendo aquele estrago. É bala pra todo lado, vidraças estilhaçadas, garrafas de bebidas estouradas, toalhas e guardanapos voando. Adoro quando o vingador sai impune pela porta da frente e volta-se para jogar, no melhor estilo *noir*, a bituca de cigarro em cima do álcool derramado. Bum! Explode tudo quando ele já está no outro lado da rua, andando de costas para a destruição total, com um sorriso irônico no canto da boca. É isso que eu vou fazer com ela.

Tudo começou quando eu estava preparando uma encomenda urgente de pequenos bolinhos de chocolate, minha especialidade. Vários restaurantes serviam esses bolinhos acompanhados de sorvete de creme.

O sucesso de todo bolo depende diretamente do tempo e da temperatura do forno. Para aquela encomenda, programei trinta minutos, marcados no relógio, que fica ao lado do fogão. Fui tomar banho. Me distraí e não me dei conta de quanto tempo havia passado. Quando voltei para a cozinha o relógio estava tocando que nem louco. O Gatô, meu gato siamês, estava ali ao lado dele, petrificado.

Corri para tirar os bolinhos do forno. Não havia mais tempo de repetir a receita. A dona do restaurante ficaria furiosa. Os bolinhos seriam a sobremesa principal do almoço para um grande executivo, e, como o restaurante fica na frente da minha cozinha, ela viria buscá-los praticamente na hora de serem servidos. Eu perderia a fonte de renda e ficaria com uma fama péssima no mercado.

Coloquei a forma na mesa da cozinha e, para minha surpresa, percebi que os bolinhos não só não estavam queimados como até tinham uma aparência interessante. Furei um deles com a ponta do palito e vi escorrer lá de dentro, em câmera lenta, uma deliciosa calda de chocolate quente.

O autor da confusão, concluí, só podia ter sido o gato Gatô. Enquanto eu estava no banho, ele ficou brincando com o relógio. Com uma das patas, deve ter adiantado os ponteiros, e o alarme começou a tocar. Os bolinhos não estavam passados do ponto.

Estavam adiantados pelo menos quinze minutos. E agora?

A campainha tocou. Com bom humor, tentei explicar que os bolinhos estavam diferentes do normal, mas deliciosos e que eles podiam ser chamados de gatôs, em homenagem ao gato. Ela me olhou com um desprezo profundo e disse: "Isso não é uma sobremesa, é um desastre. Você não é uma doceira, é uma... assassina".

"Vou inventar qualquer coisa para salvar isso lá no restaurante", disse. E saiu sem pagar, batendo a porta.

Passaram-se meses. Perdi muitas encomendas. Um belo dia li no jornal:

"Dona de restaurante conta como inventou o sucesso do momento. O petit gâteau."

A receita correu mundo, fez sucesso instantâneo. E a ladra ficou rica. "Você não é uma doceira, é uma... assassina." Bem, isso sim foi ideia dela.

BOLO QUENTE E CREMOSO DE BANANA

400 g de bananada cremosa
200 g de manteiga
4 ovos
4 gemas
1/2 xícara + 2 colheres (sopa) de açúcar
1/2 xícara de farinha de trigo peneirada
Manteiga para untar
Sorvete para acompanhar

Derreta a bananada e a manteiga no micro-ondas ou em banho-maria. Numa tigela, junte a bananada, os ovos, as gemas e misture bem com um batedor de mão ou fouet. Acrescente o açúcar e a farinha.
Misture até formar uma massa homogênea. Unte 10 forminhas individuais com manteiga e distribua a massa. Leve ao forno preaquecido a 200°C e asse por 8 minutos. Sirva quente, acompanhado do sorvete de sua escolha.

10 porções

PETIT GÂTEAU DE GOIABADA

360 g de goiabada cremosa
200 g manteiga
4 ovos
4 gemas
1/2 xícara + 2 colheres (sopa) de açúcar
1/2 xícara de farinha de trigo peneirada
50 g de queijo parmesão ralado fino
Manteiga para untar
Sorvete de creme para acompanhar

Derreta a goiabada com a manteiga em banho-maria.
Junte os ovos e as gemas batendo com um batedor de mão ou fouet até incorporar. Adicione o açúcar e bata um pouco mais. Por último, acrescente a farinha e o parmesão e bata. Unte 10 forminhas individuais com manteiga e distribua a massa. Leve ao forno preaquecido a 200°C e asse por 8 minutos. Sirva quente com sorvete de creme.

10 porções

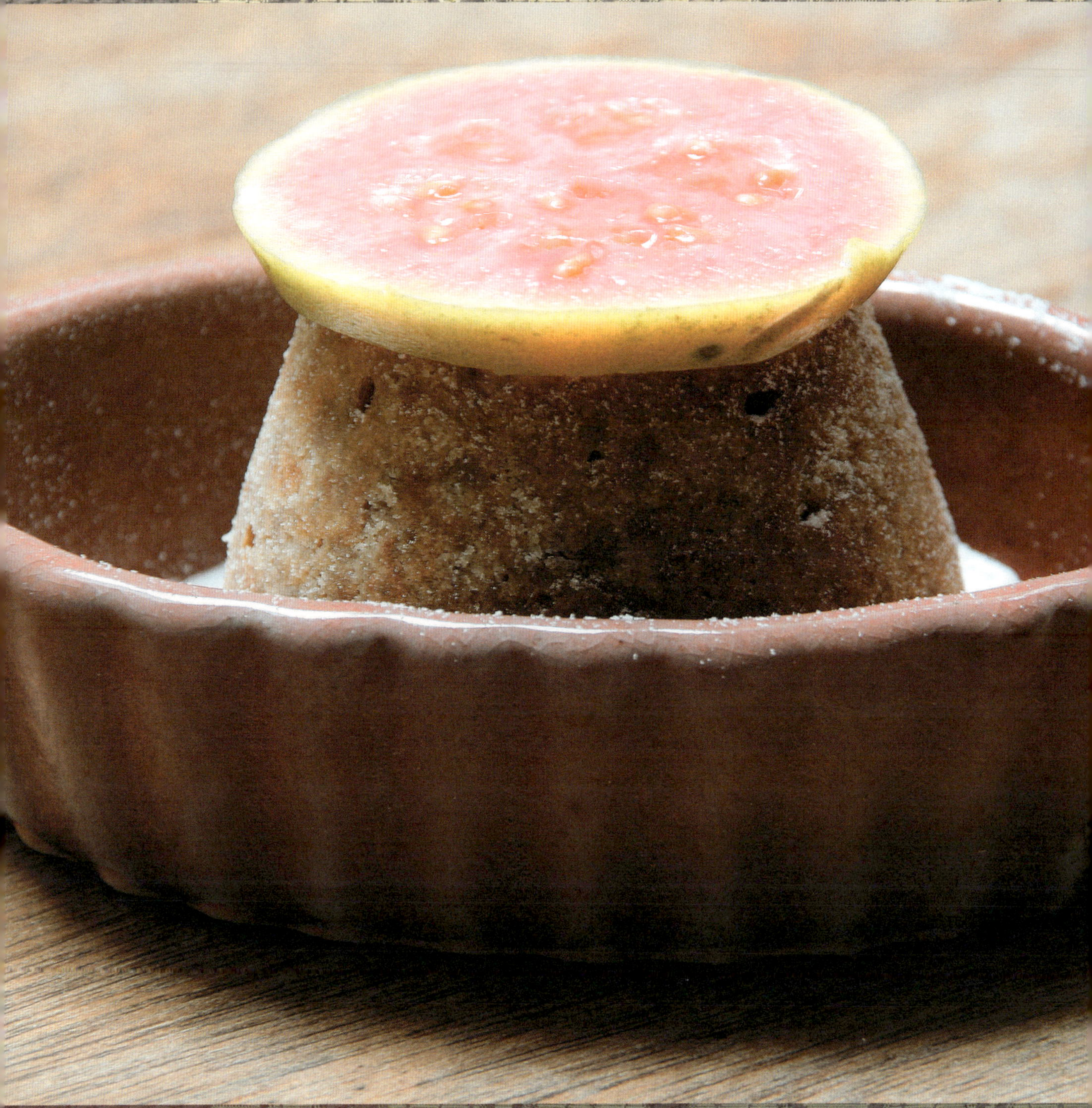

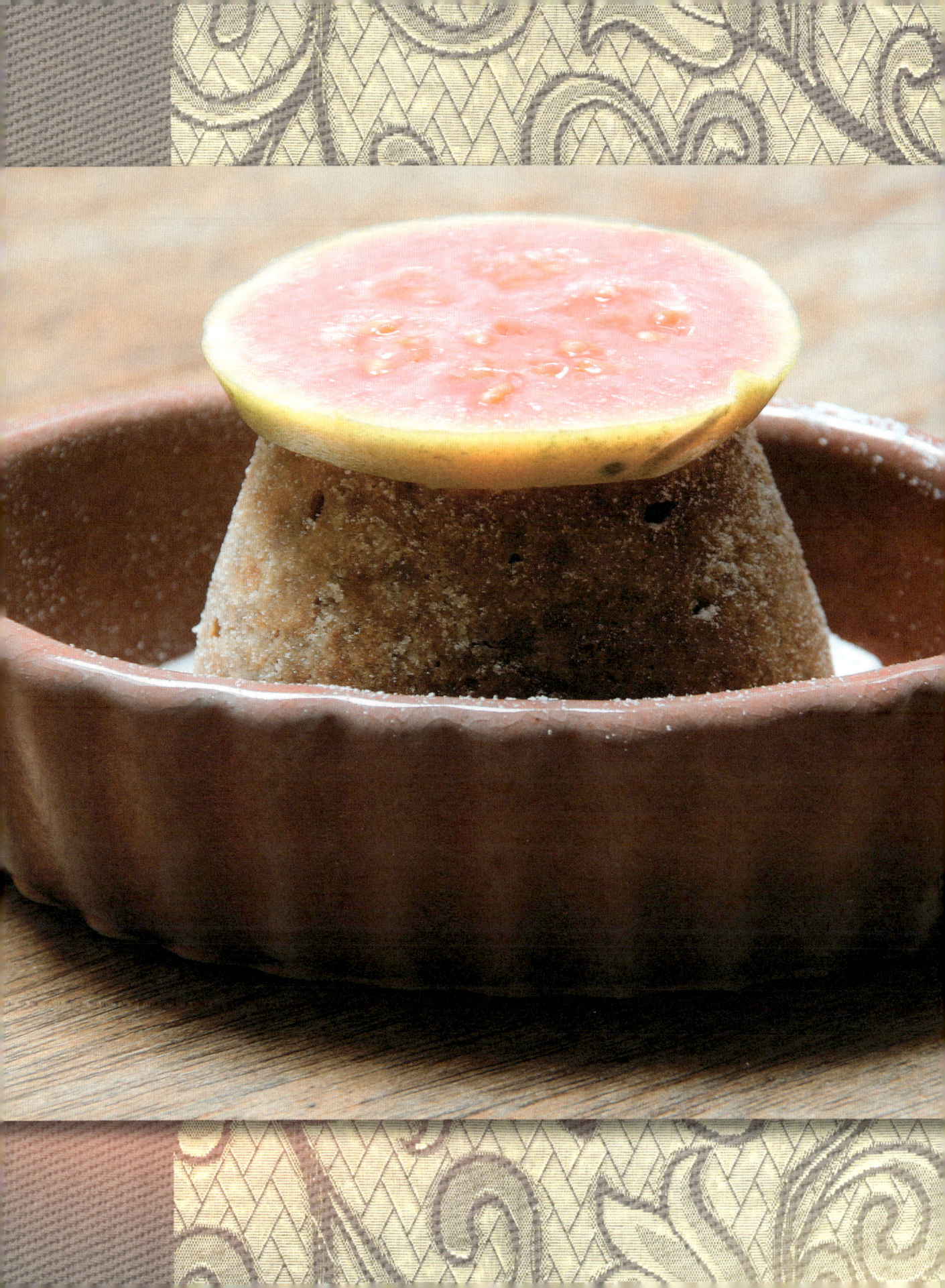

7_GÂTEAUX_104/105

PETIT GÂTEAU DE QUEIJO DA SERRA DA ESTRELA

petit gâteau
200 g de queijo da Serra da Estrela
150 g de cream cheese
50 g de queijo parmesão ralado
200 g de manteiga
4 ovos
4 gemas
1/2 xícara de farinha de trigo peneirada
1/2 xícara + 2 colheres (sopa) de açúcar
Manteiga para untar

Derreta os queijos e a manteiga em banho-maria, misturando bem. Junte os ovos e as gemas e misture bem. Por último, acrescente a farinha e o açúcar e mexa até formar uma massa homogênea. Envolva a massa em filme plástico e deixe descansar por no mínimo 1 hora na geladeira.

caramelo
1 xícara de vinho do Porto
1 xícara de açúcar
Raspa de 1 fava de baunilha aberta ao meio

Leve tudo ao fogo baixo e ferva por 10 minutos até o ponto de calda rala (quando começar a brilhar). Unte 6 forminhas individuais com manteiga e distribua a massa, deixando um espaço vazio. Leve ao forno preaquecido a 220°C e asse por cerca de 10 minutos. Desenforme e sirva acompanhado do caramelo de vinho do Porto.

6 porções

PETIT GÂTEAU DE CHOCOLATE

200 g de chocolate meio amargo
200 g de manteiga
4 ovos
4 gemas
1/2 xícara + 2 colheres (sopa) de açúcar
1/2 xícara de farinha de trigo peneirada
Manteiga para untar
Sorvete de creme para acompanhar

Derreta o chocolate e a manteiga no micro-ondas ou em banho-maria. Numa tigela, junte o chocolate, os ovos, as gemas e misture bem, sem bater, com um batedor de mão ou fouet. Acrescente o açúcar e a farinha. Misture até formar uma massa homogênea. Unte 10 forminhas individuais com manteiga e distribua a massa. Leve ao forno preaquecido a 200°C e asse por 8 minutos. Sirva quente com sorvete de creme.

10 porções

GÂTEAU DE COCO

400 g de doce de coco queimado cremoso
150 g de manteiga
3 ovos
3 gemas
1/2 xícara de açúcar
60 g de farinha de trigo peneirada
Manteiga para untar
Sorvete para acompanhar

Derreta o doce de coco e a manteiga no micro-ondas ou em banho-maria. Numa tigela, junte o doce de coco, os ovos, as gemas e misture bem, sem bater, com um batedor de mão ou fouet. Acrescente o açúcar e a farinha. Misture até formar uma massa homogênea. Unte 8 forminhas individuais com manteiga e distribua a massa. Leve ao forno preaquecido a 200°C e asse por 8 minutos. Sirva quente, acompanhado do sorvete de sua escolha.

8 porções

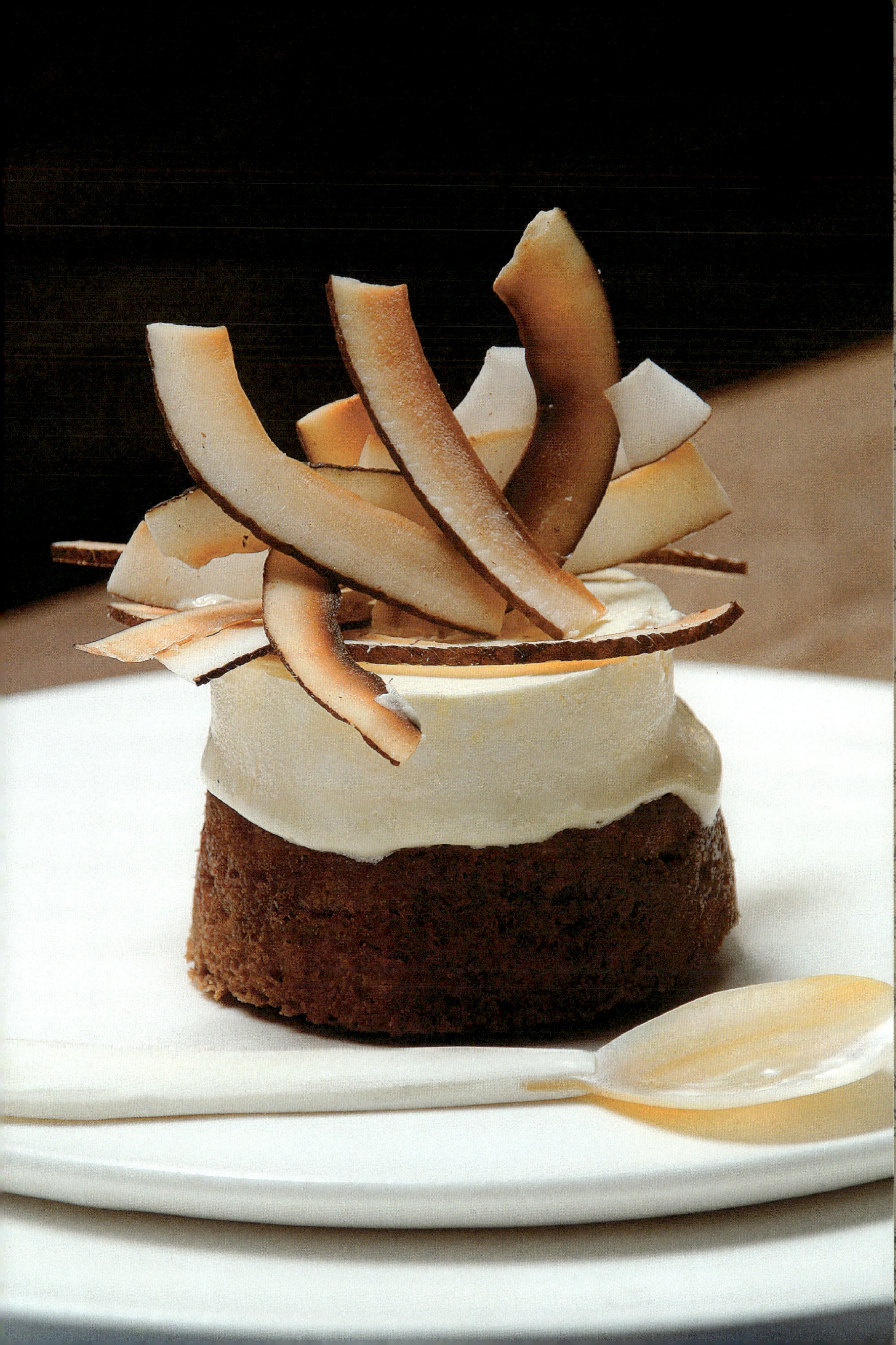

PETIT GÂTEAU DE DOCE DE LEITE DO CARLOTA

200 g de doce de leite cremoso
100 g de manteiga
2 ovos
2 gemas
1/4 de xícara de açúcar
1/4 de xícara de farinha de trigo peneirada
Manteiga para untar
Sorvete de creme para acompanhar

Derreta o doce de leite e a manteiga no micro-ondas ou em banho-maria. Numa tigela, junte o doce de leite, os ovos, as gemas e misture bem, sem bater, com um batedor de mão ou fouet. Acrescente o açúcar e a farinha. Misture até formar uma massa homogênea. Unte 6 forminhas individuais com manteiga e distribua a massa. Leve ao forno preaquecido a 200°C e asse por 8 minutos. Sirva quente com sorvete de creme.

6 porções

PETIT GÂTEAU DE FIGADA

400 g de doce de figo cremoso
200 g de manteiga
4 ovos
4 gemas
1/2 xícara + 2 colheres (sopa) de açúcar
1/4 de colher (chá) de cravo-da-índia em pó
1/2 xícara de farinha de trigo peneirada
Manteiga para untar
Sorvete para acompanhar

Derreta o doce de figo e a manteiga no micro-ondas ou em banho-maria.
Retire do fogo e adicione os ovos e as gemas. Mexa bem, sem bater, com um batedor de mão ou fouet.
Junte o açúcar, o cravo e a farinha e misture até formar uma massa homogênea.
Unte 10 forminhas individuais com manteiga e distribua a massa.
Leve ao forno preaquecido a 200°C e asse por 8 minutos.
Sirva quente com o sorvete da sua escolha.

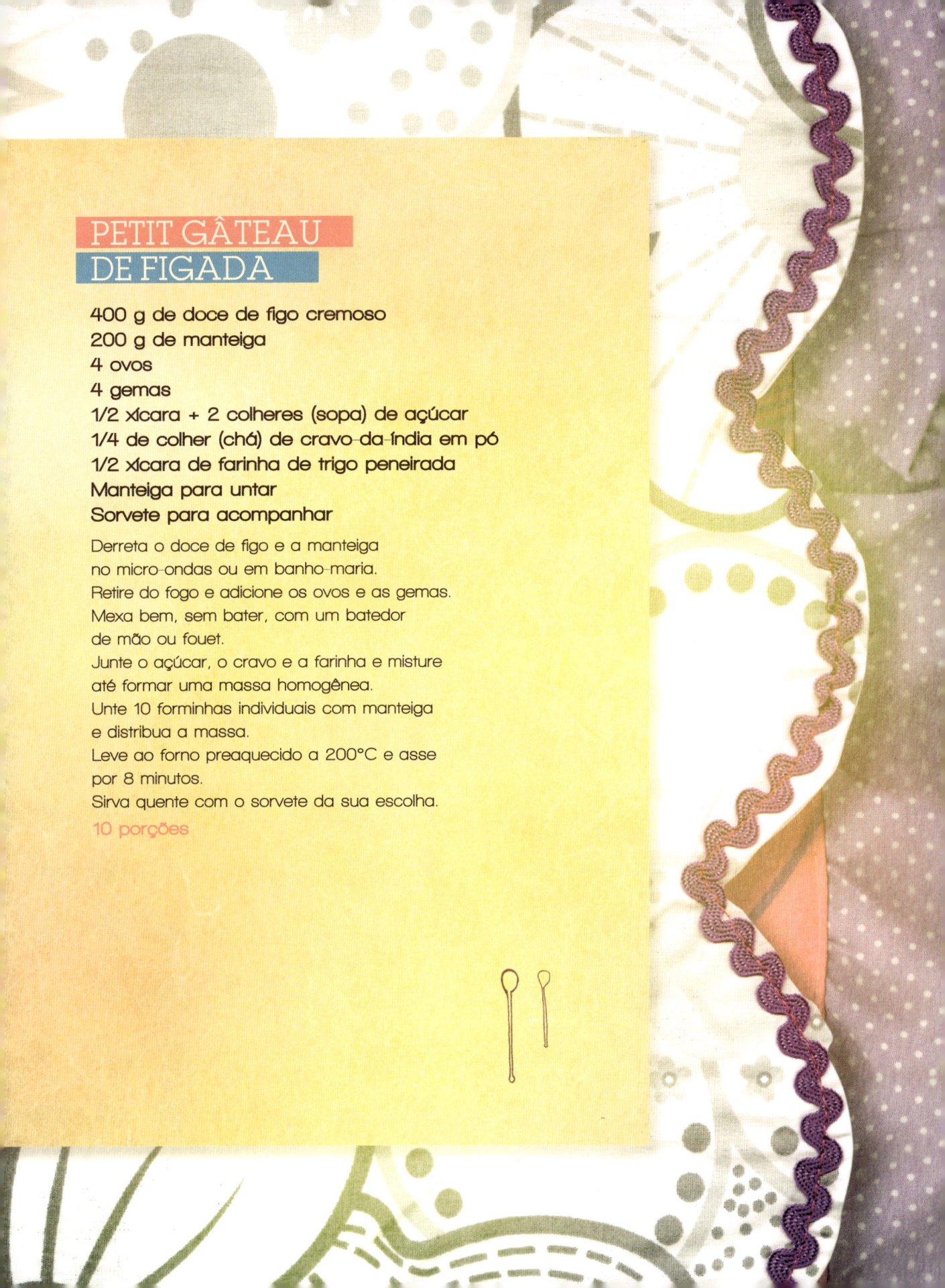

10 porções

7_GÂTEAUX_110/111

PETIT GÂTEAU
DE DOCE DE
LEITE DO
CARLOTA
p. 108

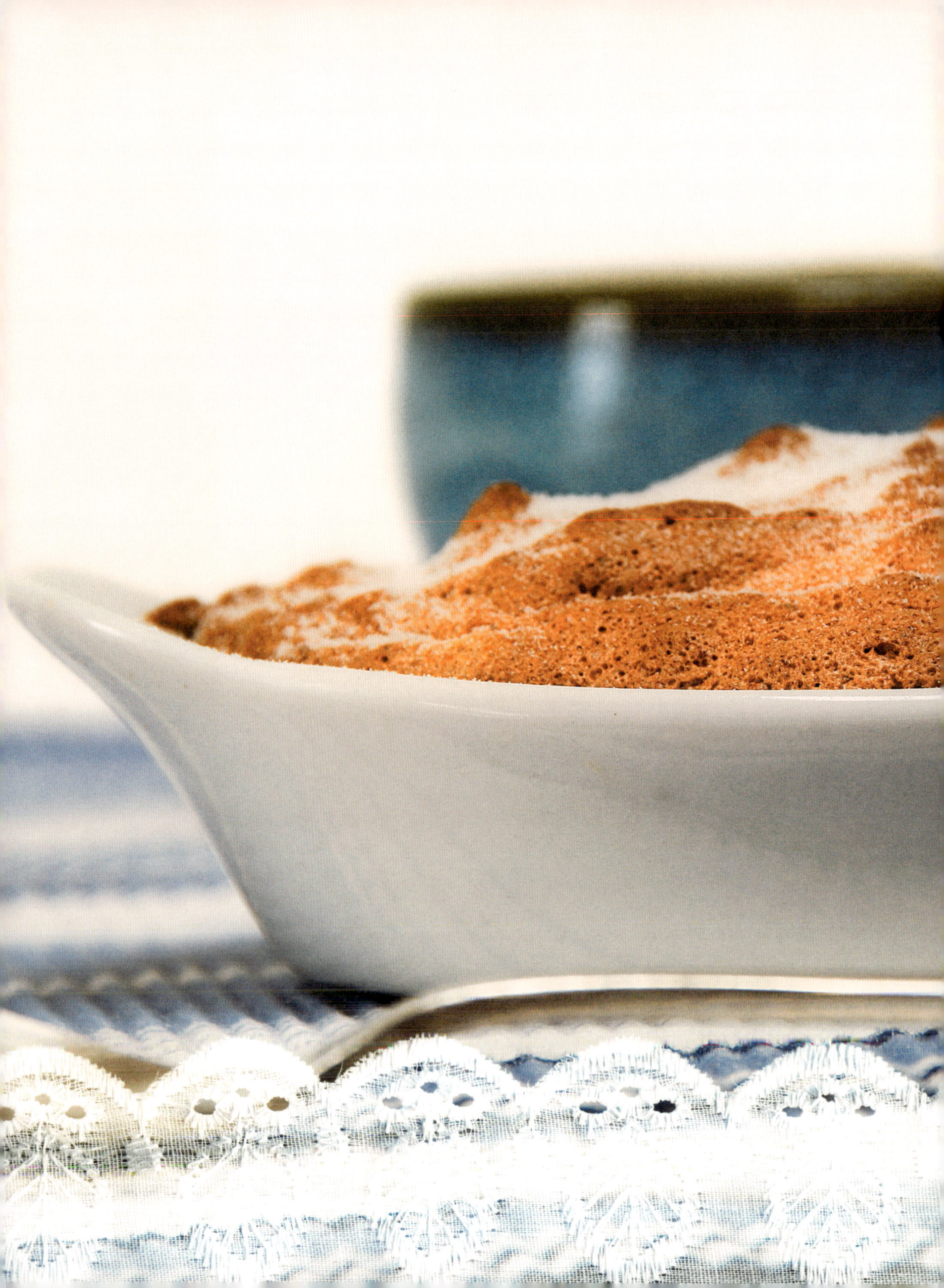

SUFLÊS

Telefone tocando

Secretária eletrônica: Oi, você ligou pra Julieta. Não posso atender no momento. Deixe seu nome e recado que eu ligo assim que puder. Obrigada. Piiiiii.

Voz: Oi, Ju, Romeu. Então, eu não morri, viu? Tô bem. Tô ligando só pra não te deixar sem explicação. Vi você num jornal. Soube que você casou, tem filho e tudo. Daí achei que tudo bem eu aparecer. Olha, aquilo tudo não teve nada a ver com você, tá? Você é ótima. A pressão é que foi demais. Também, olha só: Romeu e Julieta. Fala sério. Nascemos um pro outro, né? Pelo menos era o que todo mundo achava. Esse foi o problema. Minha ficha caiu quando você apareceu com essa ideia de sobremesa para a nossa festa de casamento. Suflê de goiabada com queijo... o doce perfeito para o par perfeito. Romeu e Julieta, o casamento dos contos de fada. Isso foi fatal pra mim. Eu não aguentei, sabe? O problema sou eu. Eu não mereço você. Você é superinteligente, simpática, doceira de mão-cheia. Sei que você vai me entender. O fato de não ter rolado sexo entre nós não tem nada a ver com você, viu? Eu não queria ter ido tão longe, marcado casamento, igreja-com-laguinho-e-chafariz, você fazendo o nosso bolo. Eu não sabia como te contar. Fui um covarde, eu sei. Você pode me odiar pra sempre, tudo bem. Sabe o quê? Preciso te contar logo. É que eu conheci uma pessoa. Foi uma semana antes do dia do casamento. Eu não tive culpa. Aconteceu. Lembra aquela noite que eu saí pra comprar cigarro e voltei de manhã? Você ficou furiosa, e eu disse que o carro tinha quebrado. Pois é. A única coisa aberta que eu achei foi um posto de gasolina na zona leste. Não tinha cigarro lá. Mas tinha ele.

Ele estendeu o braço todo tatuado e musculoso na minha direção e me ofereceu um. A gente ficou conversando até de manhã cedo. Rolou uma coisa meio louca, sabe? No meio daquele cheiro inebriante de combustível, nos entregamos um ao outro. Ele me contou que viajaria uma semana depois, ia tentar a vida como dançarino de boate em Xangai. Ali eu percebi que aquela era a vida que eu queria para mim. Perdão, Ju. Eu sei que você não merecia nada disso, mas agora estou feliz porque sei que você já superou tudo, está casada e feliz também. E os bolos, muitas encomendas? Aqui em Xangai chove o tempo todo e o povo cospe no chão. Um nojo. A comida, bem, a comida é péssima. Outro dia quase tive um chilique. Me ofereceram macaco no jantar! Pode imaginar isso? Então... mas eu e o Ernei estamos nos dando bem. Ah, fiz duas tatuagens. Uma com um periquito tribal, e outra, um coração gigante com o nome da mamãe. Você certamente detestaria elas. Bom, vou desligar porque senão fica caro. É isso, Ju. Desculpa mesmo, tá? Eu não queria que você me achasse um cretino para o resto da vida. E olha, um dia, quem sabe, se você e sua família vierem pra Xangai, me procura na boate Eros, perto do porto. Todos me conhecem por lá. Ju, sabe, eu sonho todo dia com aquele suflê de goiabada com queijo. Sei que era a sobremesa do par perfeito, como você disse. Que eu nem mereço ela, mas... ó, se um dia te der assim uma inspiração e você quiser criar uma pensando em mim, pode ser queijo e queijo? Seria a perfeição.
Beijos, Ju.

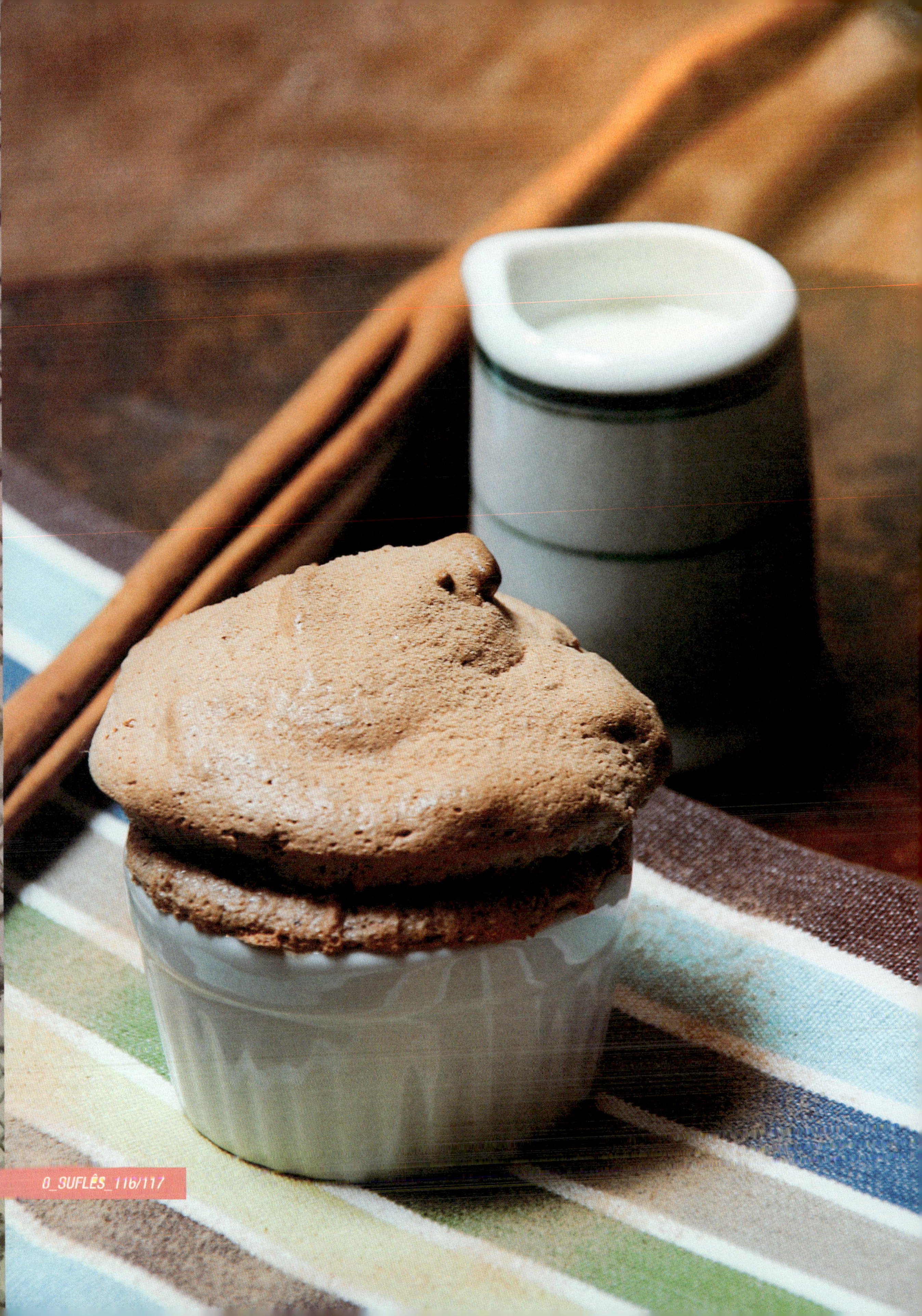

SUFLÊ DE BANANADA

5 claras
1 pitada de sal
700 g de bananada cremosa
3 colheres (sopa) de açúcar mascavo
1/2 colher (chá) de canela em pó
Açúcar com canela para polvilhar
Calda de catupiry para acompanhar (ver p. 121)

Bata as claras em neve com 1 pitada de sal até ficarem bem firmes. Junte a bananada, o açúcar e a canela e bata com um batedor de mão até incorporar bem as claras e formar uma massa consistente.
Distribua a massa em 10 forminhas individuais próprias para suflê (ramequins) e deixe-as sobre uma superfície levemente aquecida por cerca de 30 minutos para pré-assar os suflês.
Leve ao forno preaquecido a 200°C por cerca de 10 minutos ou até dourar toda a superfície.
Polvilhe a mistura de açúcar e canela e sirva imediatamente com a calda de catupiry fria.

10 porções

8_SUFLÊS_118/119

SUFLÊ
GELADO DE
MORANGO
p. 120

SUFLÊ GELADO DE MORANGO

2 xícaras de morango limpo
1 colher (sopa) de gelatina em pó incolor sem sabor
1 xícara de creme de leite fresco
1 xícara de açúcar
2/3 de xícara de água
4 claras em temperatura ambiente
1 pitada de sal
2 colheres (sopa) de chocolate em pó para polvilhar
8 colheres (sopa) de geleia de morango para decorar

Bata os morangos num processador de alimentos até virar um purê e coe.
Polvilhe a gelatina sobre a superfície do purê, deixe hidratar por 5 minutos e aqueça em banho-maria até dissolver a gelatina. Reserve. Numa tigela, bata com a batedeira o creme de leite bem gelado até formar picos firmes. Reserve.
Numa panela, junte o açúcar e a água e ferva até formar um xarope espesso.
Para verificar se está no ponto, coloque um pouco de água gelada numa tigela e pingue um pouco do xarope, se formar uma bola macia entre os dedos, está no ponto.
À parte, bata as claras em neve com o sal. Quando estiver bem firme, adicione o xarope aos poucos e bata bem.
Divida o purê de morango em duas partes. Numa delas junte as claras e na outra o creme de leite. Misture bem e depois junte tudo.
Corte 8 tiras de 5 cm de largura de papel-manteiga e passe em volta da borda de 8 forminhas individuais para suflê (ramequins) para aumentar o limite. Prenda com fita adesiva. Divida o creme e leve à geladeira por cerca de 5 horas.
Na hora de servir, retire o papel-manteiga e polvilhe chocolate em pó ou espalhe geleia de morango na superfície.

8 porções

SUFLÊ DE GOIABADA COM CALDA DE CATUPIRY DO CARLOTA

suflê

8 claras
1 pitada de sal
425 g de goiabada cremosa

Numa tigela, bata as claras em neve. Adicione o sal quando as claras começarem a subir e bata até bem firme.
Junte a goiabada aos poucos.
Bata com um batedor de mão ou fouet até misturar bem.
Se desejar usar goiabada dura, numa panela, leve ao fogo a goiabada picada com um pouco de água, mexendo sempre até adquirir uma consistência pastosa.
Distribua em 6 forminhas individuais próprias para suflês (ramequins). Leve ao forno preaquecido a 200°C e asse por 8 minutos ou até dourar toda a superfície.

calda de catupiry

410 g de queijo catupiry
1 1/3 de xícara de leite

Numa panela, junte o catupiry e o leite e derreta em banho-maria. Misture bem.
Sirva imediatamente o suflê com a calda de catupiry à parte.

6 porções

SUFLÊ DE
GOIABADA
COM CALDA
DE CATUPIRY
DO CARLOTA
p. 121

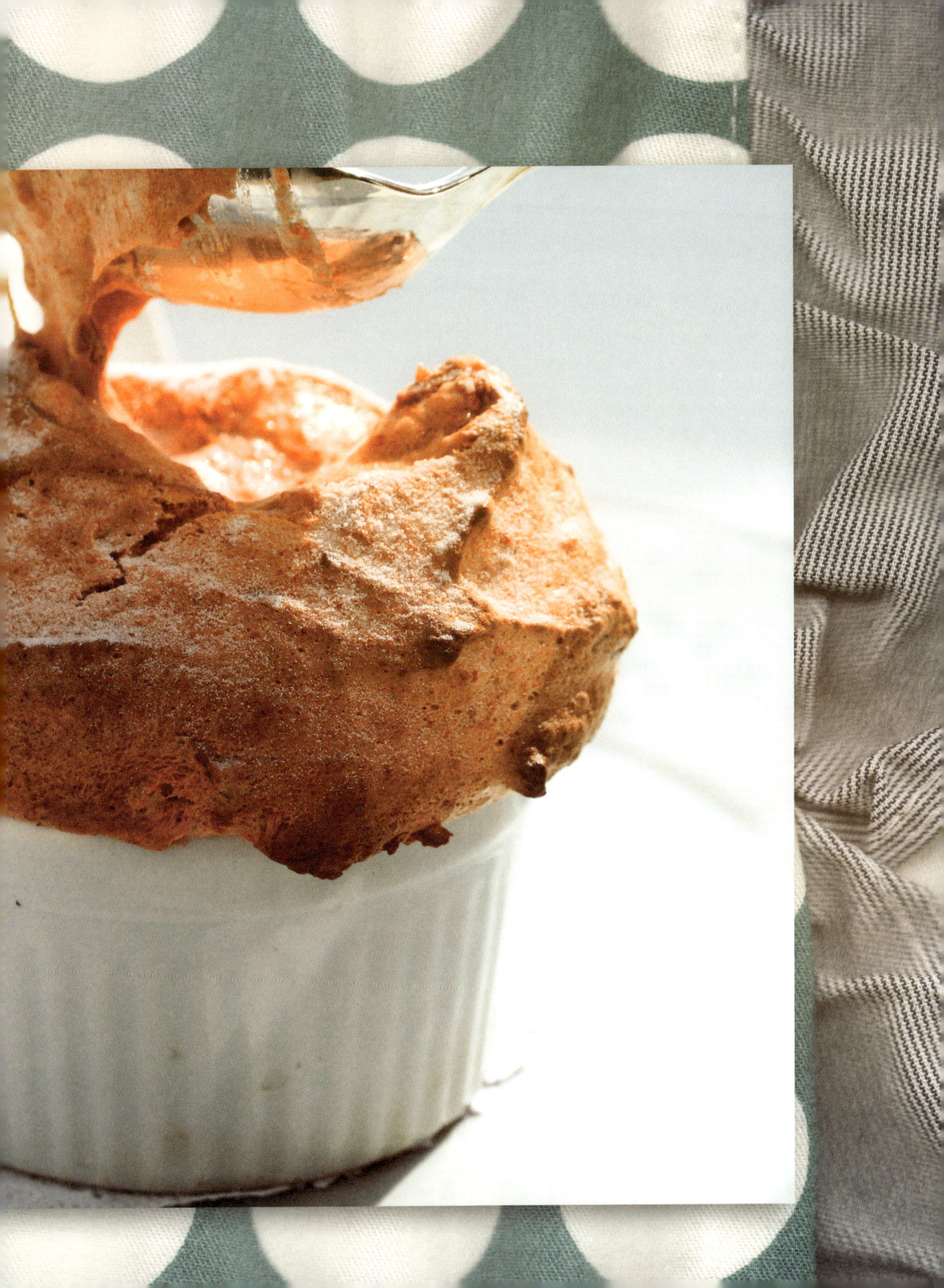

SUFLÊ DE MARMELADA DE BELÉM

6 claras
1 pitada de sal
700 g de marmelada cremosa
Açúcar de confeiteiro para polvilhar
8 fatias de requeijão cremoso levemente derretidas para acompanhar

Numa tigela, bata as claras em neve com 1 pitada de sal até ficarem bem firmes. Junte a marmelada e bata com um batedor de mão ou fouet até incorporá-la bem às claras e formar uma massa bem consistente. Distribua em 8 forminhas individuais próprias para suflê (ramequins).
Deixe as forminhas sobre uma superfície levemente aquecida por uns 30 minutos para pré-assar os suflês.
Leve ao forno preaquecido a 200°C e asse por 8 minutos, ou até dourar toda a superfície.
Retire do fogo e polvilhe açúcar de confeiteiro. Sirva imediatamente acompanhado de uma fatia de requeijão cremoso.

8 porções

SUFLÊ DE CHOCOLATE

2 colheres (sopa) de manteiga
3 colheres (sopa) de farinha de trigo
3/4 de xícara de leite
1/2 xícara de chocolate meio amargo picado
4 gemas batidas até esbranquiçar
4 claras
1/4 de xícara de açúcar
1/2 colher (chá) de essência de baunilha
Sorvete de creme e calda de chocolate quente para acompanhar

Numa panela, derreta a manteiga em fogo baixo. Junte a farinha, misture bem e cozinhe por cerca de 5 minutos. Adicione o leite mexendo com um batedor de mão ou fouet para não empelotar. Retire do fogo.
Acrescente o chocolate à mistura e por último as gemas e mexa.
À parte, bata com a batedeira as claras com o açúcar até formar picos firmes. Incorpore as claras aos poucos à mistura de chocolate, adicionando a baunilha por último.
Deixe esfriar por cerca de 20 minutos.
Distribua a massa em 8 forminhas individuais próprias para suflê (ramequins) com 7 cm de diâmetro aproximadamente,
deixando um espaço de 1 cm até a borda. Leve ao forno preaquecido a 200°C e asse por cerca de 12 minutos, ou até dourar toda a superfície.
Sirva imediatamente acompanhado de sorvete de creme e calda de chocolate quente.

8 porções

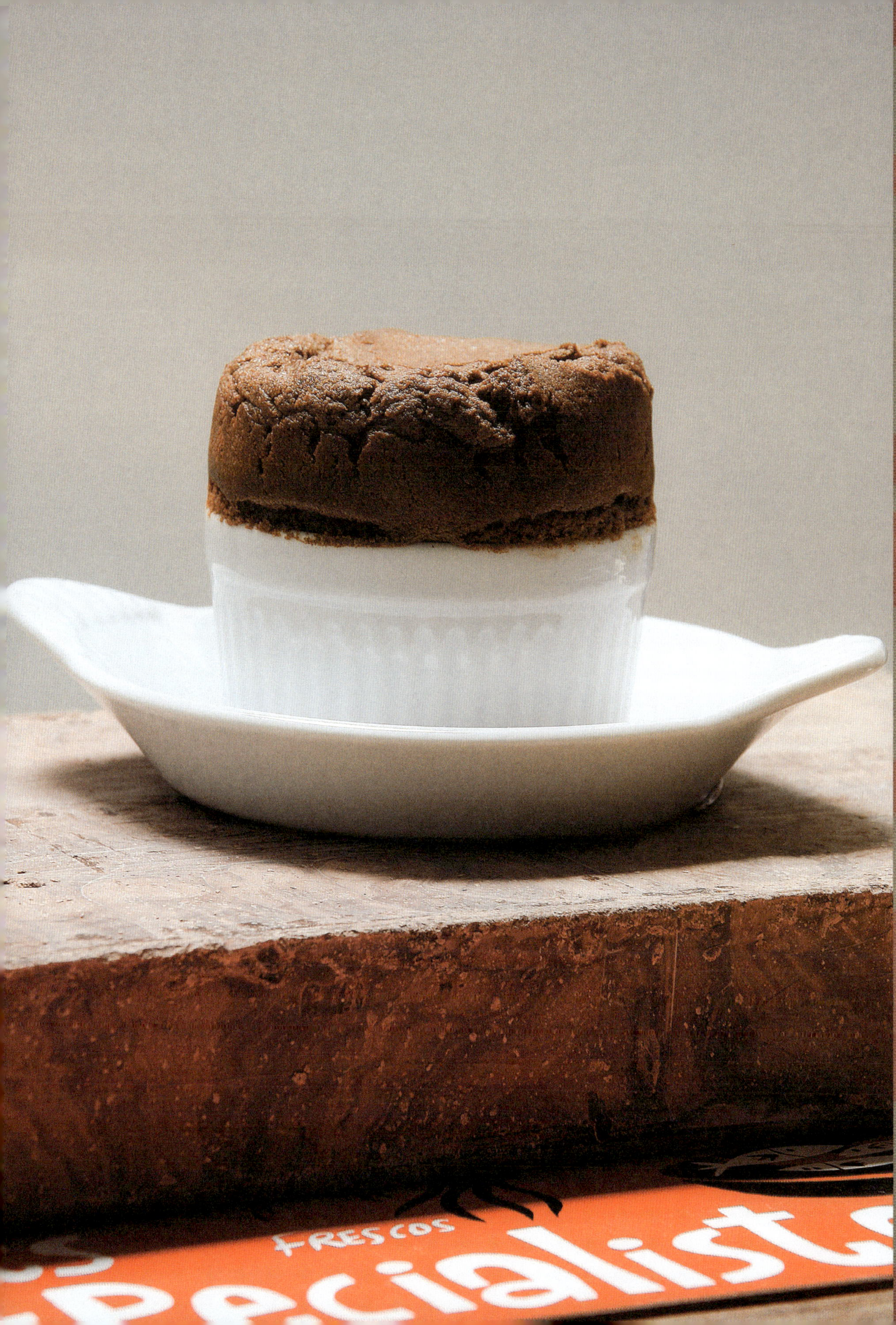
FRESCOS

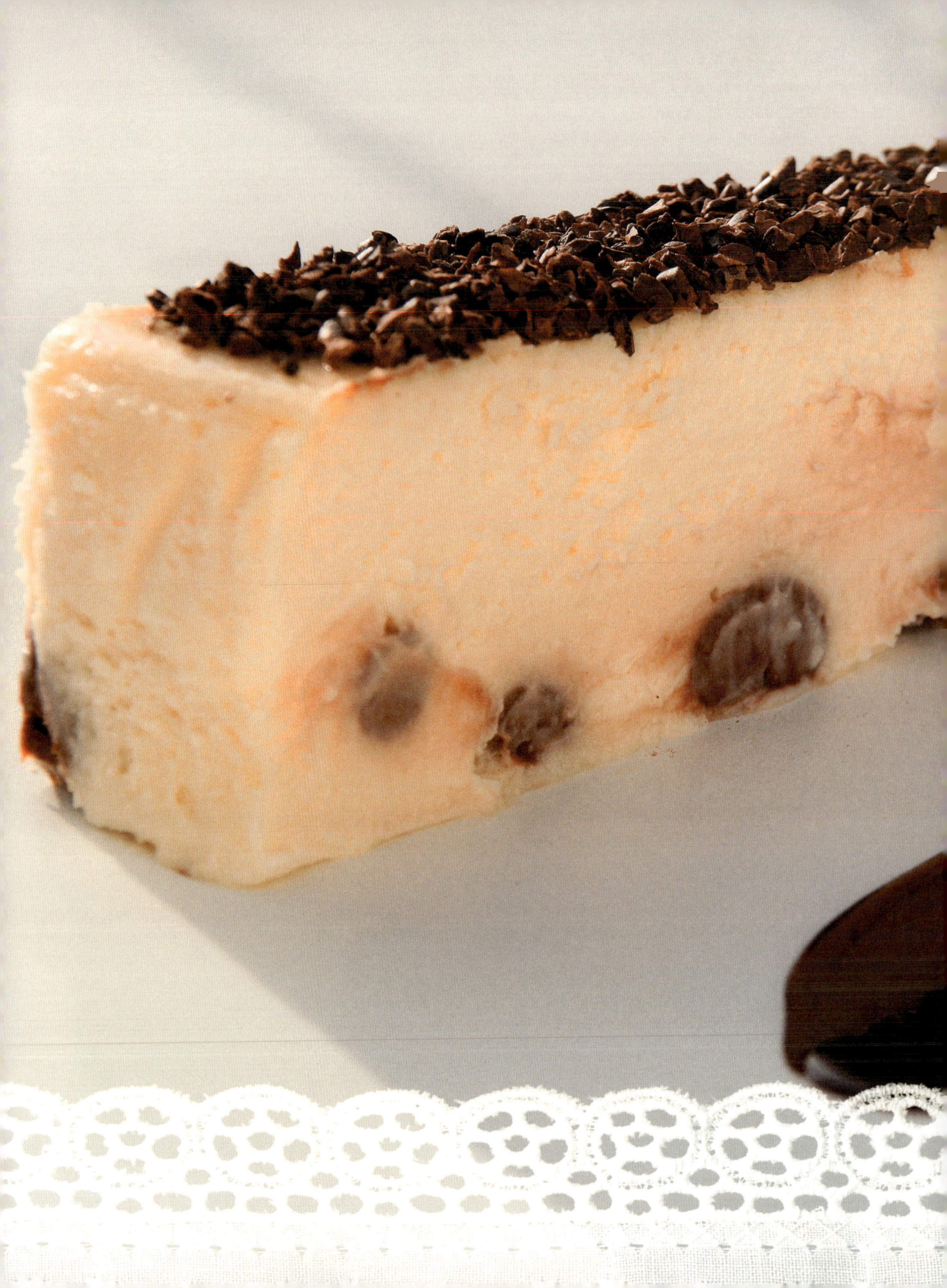

9
SOBREMESAS GELADAS

Alice abaixo de zero

A chef pâtissier Alice Wonder nasceu bem antes do tempo. Era para ter vindo ao mundo sob o signo de Peixes, mas achou que Aquário tinha bem mais a sua cara. Decidida, com respostas rápidas, pressa de adulto e alegria de menina, a jovem Alice, com apenas vinte e um anos, foi a única brasileira a ter uma sobremesa selecionada entre as melhores do mundo pela Association Internationale de Grands Chefs de Cuisine (AIGCC).

Da Suíça, onde vive com o namorado, o famoso designer holandês Patrick van Bohrer, Alice concedeu para *Nós* esta entrevista inédita.

Nós: Você sempre foi precoce?
Alice: Não sei do que você está falando. Com tudo que tenho a fazer e a aprender, estou é atrasadíssima!

Nós: Você está mais para coelho do que para Alice...
Alice (risos): É verdade. Me identifico com ele. Tô com pressa!

Nós: Pressa de quê?
Alice: De ganhar o mundo. Vencer o labirinto. Desvendar o caleidoscópio psicodélico.

Nós: Como é ser a mais jovem chef brasileira a receber um prêmio desses?
Alice: Tem sabor de coco queimado, baba de moça e tapioca. Ou seja, uma coisa maravilhosa que só mesmo tendo nascido no Brasil para entender.

Nós: Mas os chefs do mundo todo entenderam.
Alice: É que os sabores e as cores do Brasil nunca estiveram tão em evidência. Eu não sou o conteúdo, sou apenas a forma. Estou a serviço da riqueza dos ingredientes que só o Brasil tem.

Nós: Como você começou?
Alice: Eu praticamente nasci dentro da cozinha. Minha avó e minha mãe são ótimas cozinheiras. Aos seis anos, convidei

uma menina da escola para brincar com as minhas panelinhas. Quando ela chegou em casa, eu mostrei as nossas Le Creuset e ela quase teve um treco.

Nós: Como foi sua formação?
Alice: Eu terminei a escola e fui direto para Nova York. Lá estudei na The Kitchen Cool e estagiei em alguns bares e restaurantes. Claro que o curso foi interessante, mas o que eu mais gostei foi vivenciar a cidade. Andar a pé em Nova York é uma verdadeira aula de tudo. Os aromas, sabores e texturas estão todos lá. É só você aprender a olhar e sentir. Foi lá que eu entendi que minha verdadeira formação seria olhar para dentro de mim, meu país, minhas influências afetivas e culturais. Voltei ao Brasil e trabalhei como chef pâtissier na Confeitaria do Carmo, famosa pelos seus doces incríveis. Aprendi muito lá.

Nós: Você está gostando de viver na Europa?
Alice: Sabe o coelho? Pois é, tô doida pra ir para a China e também para a Índia. A Europa é interessante, mas parece que tudo está pronto há séculos. Quero experiências novas.

Nós: Você é famosa pelos sorvetes e sobremesas geladas. Algum motivo especial para isso?
Alice: Cheguei à Suíça no inverno mais frio dos últimos dez anos. Tinha muita neve. Essas imagens da paisagem branca, abaixo de zero, ficaram gravadas no meu subconsciente. Minhas sobremesas são resultado dessa experiência de viver na neve com a imaginação repleta da sensualidade do verão brasileiro.

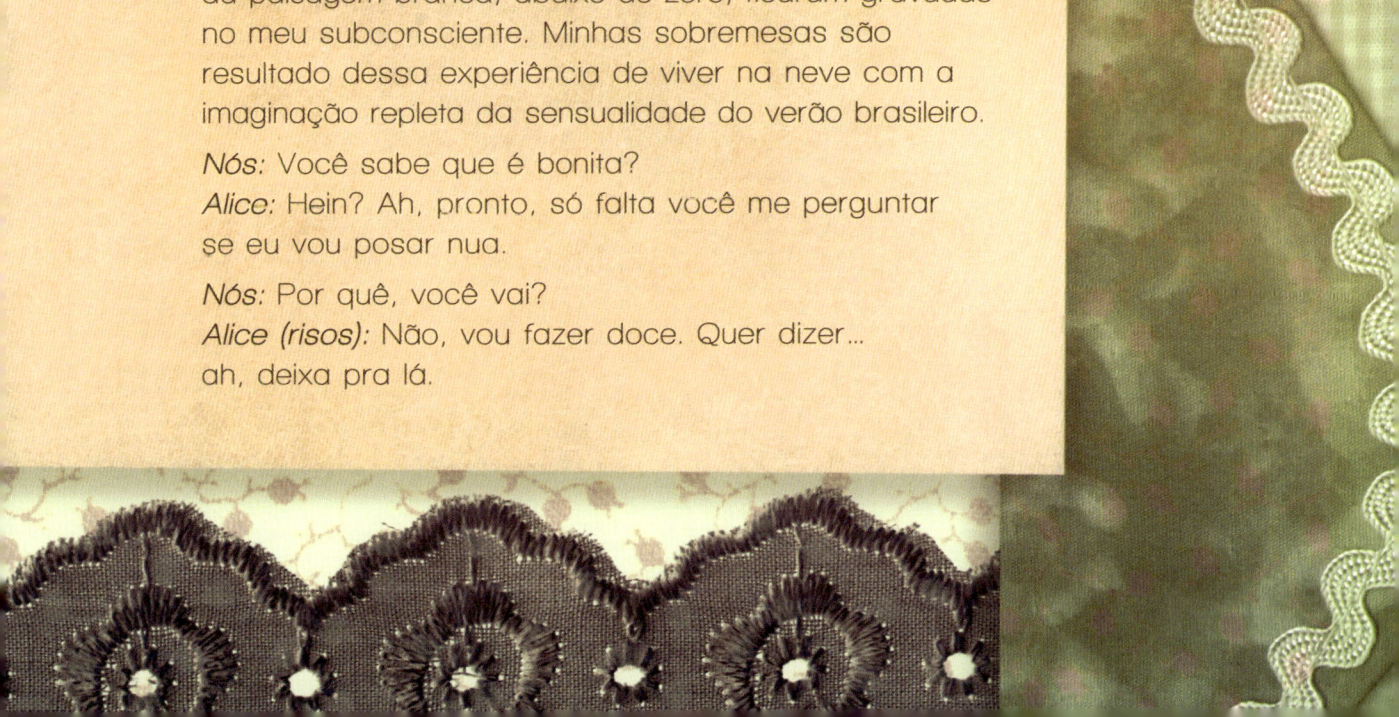

Nós: Você sabe que é bonita?
Alice: Hein? Ah, pronto, só falta você me perguntar se eu vou posar nua.

Nós: Por quê, você vai?
Alice (risos): Não, vou fazer doce. Quer dizer... ah, deixa pra lá.

SUNDAE DO CARLOTA

baba de moça

2 xícaras de água
1 1/2 xícara de açúcar
4 cravos-da-índia
1 colher (sopa) de manteiga
6 gemas peneiradas
1 xícara de leite de coco

Numa panela, junte a água, o açúcar e os cravos e ferva até obter uma calda em ponto de fio (quando colocar um garfo na calda e puxar, vão se formar fios). Tire do fogo e junte a manteiga.
Numa tigela, misture as gemas e o leite de coco. Quando a calda estiver morna, junte as gemas à calda. Misture bem. Volte tudo ao fogo médio, mexendo sem parar, até engrossar levemente. Deixe esfriar antes de usar.

sundae

2 xícaras de beiju de tapioca
4 colheres (sopa) de açúcar de confeiteiro
12 bolas de sorvete de coco queimado

Espalhe o beiju numa assadeira e polvilhe o açúcar sobre ele. Leve ao forno preaquecido a 160°C por cerca de 8 minutos até secá-lo e dourá-lo.
Distribua 2 bolas de sorvete em taças individuais, a baba de moça e finalize com o beiju grosseiramente quebrado por cima.

6 porções

TIRAMISÙ GELADO DE TAPIOCA

sorvete

2 xícaras de leite
1 lata de leite condensado
1 xícara de creme de leite fresco
1 pitada de sal
8 gemas peneiradas

Numa panela, junte o leite, o leite condensado, o creme de leite e o sal. Leve ao fogo, mexendo, até começar a ferver.
Numa tigela, jogue um pouco da mistura de leite sobre as gemas e misture bem. Volte tudo à panela e mexa em fogo baixo até engrossar levemente. Despeje num bowl e cubra com filme plástico. Leve à geladeira por pelo menos 8 horas. Coloque no bowl congelado da sorveteira e bata até ficar cremoso. Mantenha no freezer.

sagu

1/2 xícara de sagu
4 xícaras de água
3 colheres (sopa) de açúcar
1 canela em pau

Numa panela, leve ao fogo a água, o açúcar, a canela e ferva. Junte o sagu e cozinhe até ficar apenas com o centro branco.
Deixe esfriar e coloque num recipiente fechado.

molho de café

1 2/3 de xícara de creme de leite fresco
2/3 de xícara de leite
1/2 xícara + 2 colheres (sopa) de açúcar
1 colher (chá) de essência de baunilha
8 gemas
2 colheres (sopa) de Nescafé
Palito de chocolate para decorar
Chocolate em pó para polvilhar

Numa panela, ferva o creme de leite, o leite, metade do açúcar e a baunilha. Numa tigela, bata as gemas com o açúcar restante. Junte um pouco do leite e misture bem. Leve tudo de volta ao fogo, mexendo até engrossar levemente. Retire do fogo e acrescente o Nescafé, mexendo bem para dissolver. Deixe esfriar.
Distribua em canecas de vidro o sagu com um pouco do molho de café, coloque uma bola de sorvete por cima e finalize com o sagu. Decore com um palito de chocolate e polvilhe chocolate em pó.

8 porções

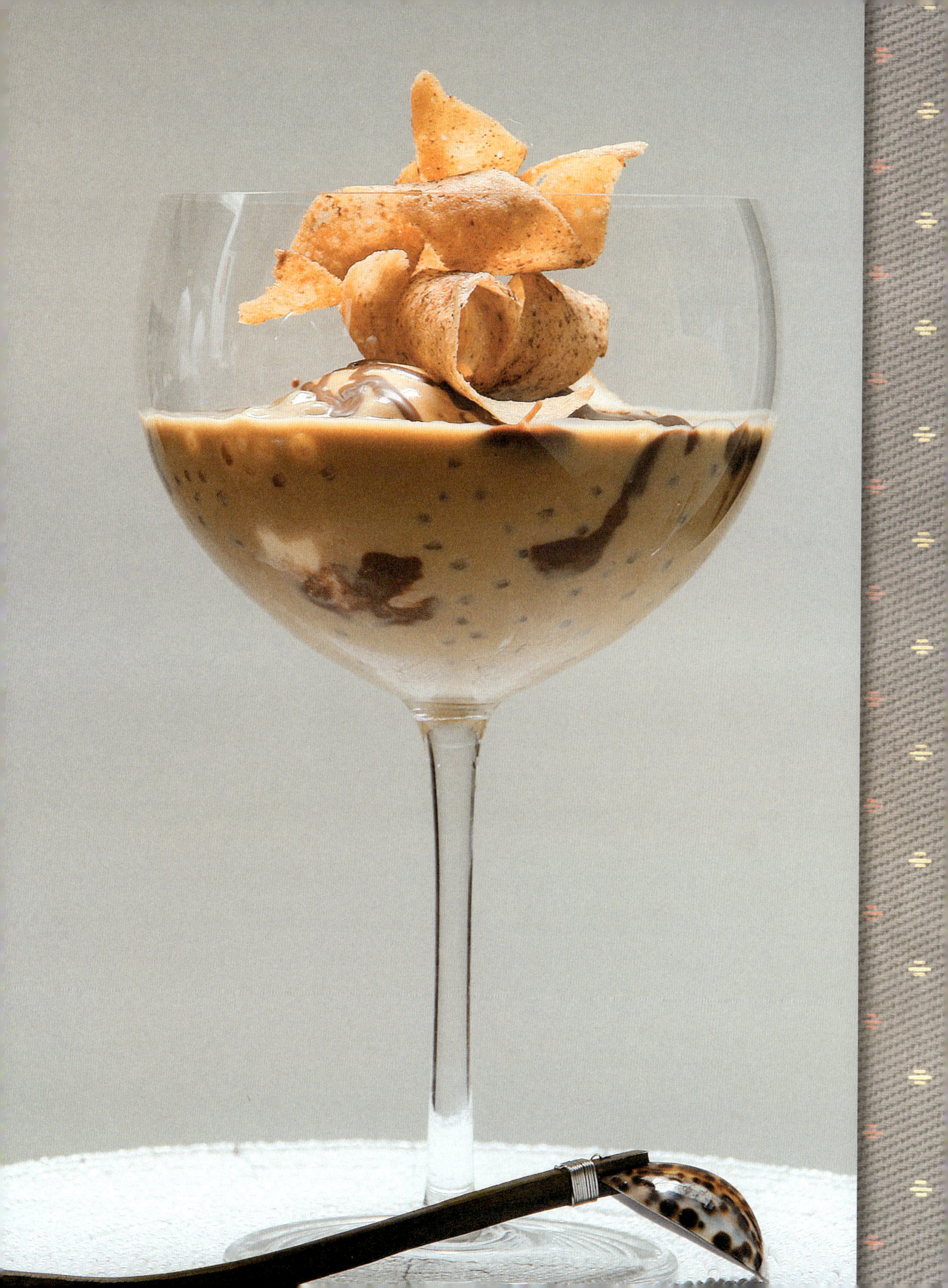

SUNDAE DO
CARLOTA
p. 130

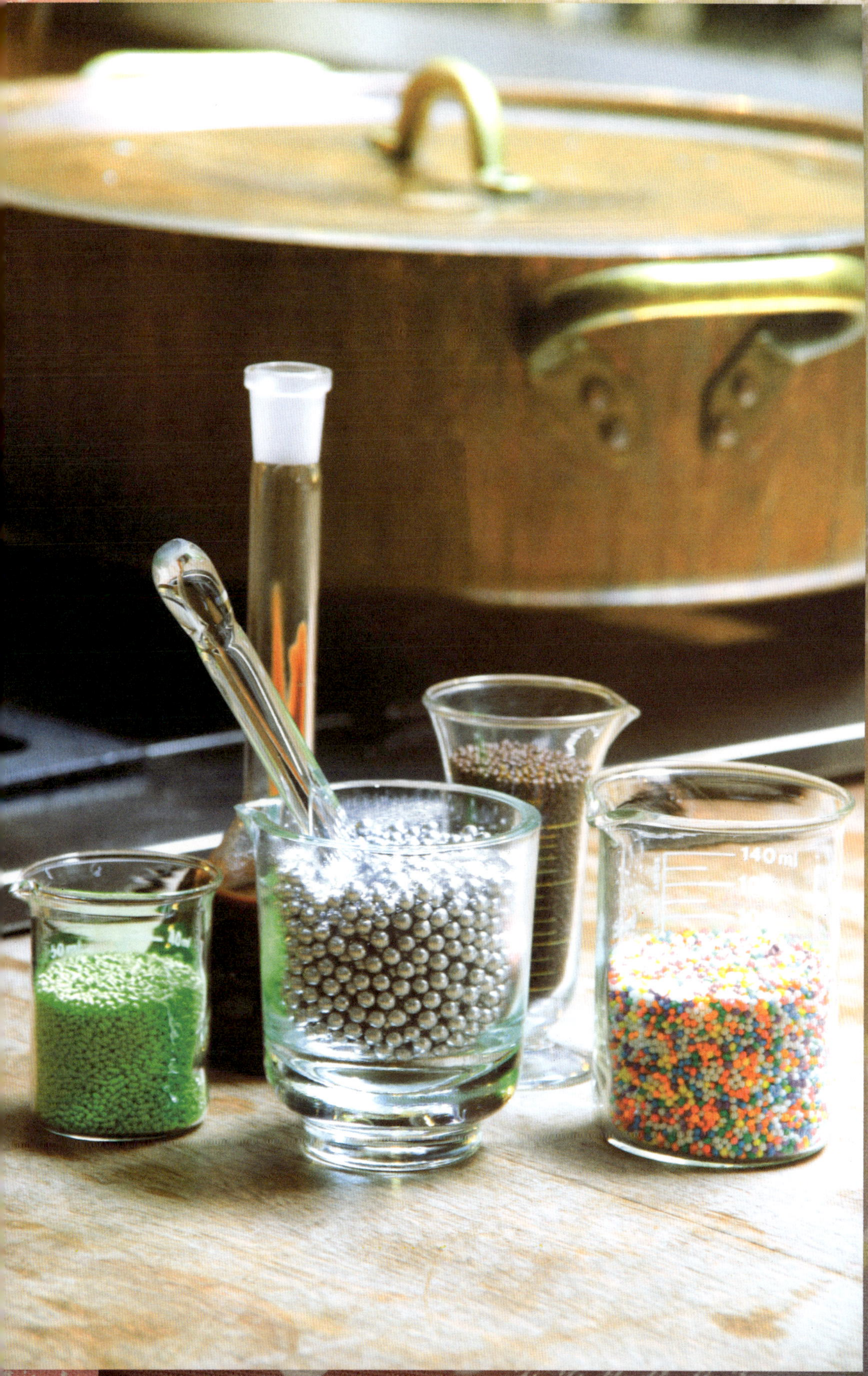
140 ml

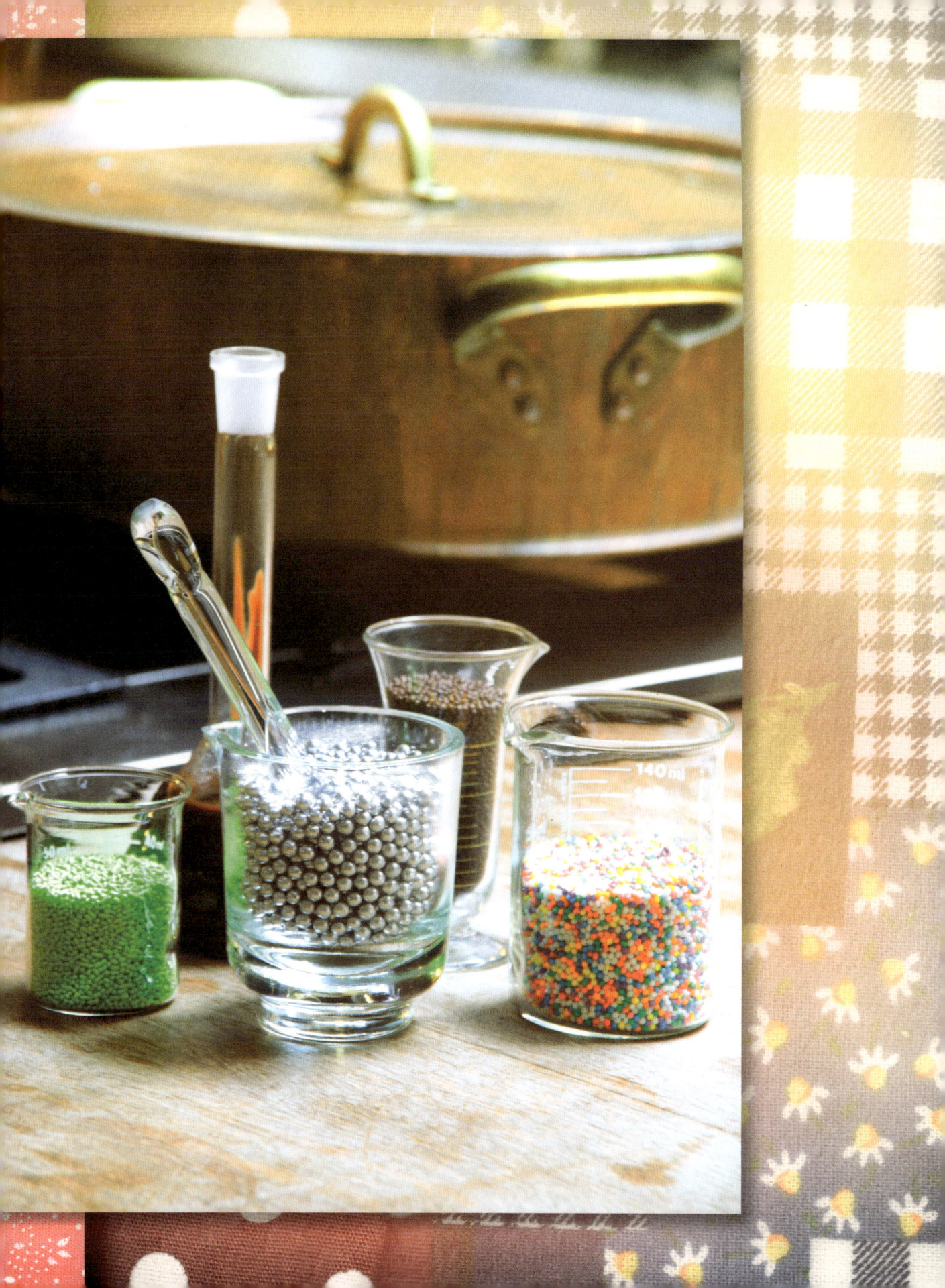

9_SOBREMESAS GELADAS
_134/135

MANJAR DA MARQUESA

macarons

200 g de avelã torrada e sem casca
2 xícaras de açúcar
1/3 de xícara de farinha de trigo
3 ovos em temperatura ambiente

Bata no processador a avelã, o açúcar e a farinha até obter uma farofa. Junte os ovos e bata até ficar cremoso. Cubra com filme plástico, deixando-o em contato com a massa. Deixe descansar por pelo menos 2 horas em local arejado. Distribua a massa num silpat (placa de silicone própria para assar biscoitos), colocando 1/2 colher de sopa para cada biscoito, deixando um espaço entre eles. Pode-se também usar uma assadeira untada e forrada com papel-manteiga também untado. Leve ao forno preaquecido a 110°C e asse por 7 minutos. Deixe esfriar.

torta trufada

240 g de chocolate meio amargo
1 1/4 de xícara de creme de leite fresco
1 pitada de sal
1/2 colher (chá) de essência de baunilha
Sorvete de pistache para acompanhar

Numa panela, derreta o chocolate em banho-maria. Retire do fogo e junte o creme de leite, o sal e a baunilha. Forre o fundo de 8 aros redondos de 5 cm de diâmetro com o creme de chocolate. Leve à geladeira. Na hora de servir, faça um sanduíche colocando a torta entre 2 macarons e disponha ao lado uma bola de sorvete de pistache.

8 porções

CHEESECAKE DE CHOCOLATE

130 g de chocolate meio amargo em pedaços
1,8 kg de cream cheese
1 colher (sopa) de essência de baunilha
1/2 colher (sopa) de essência de amêndoa
3 1/2 xícaras de açúcar
8 ovos
Manteiga para untar
Chocolate meio amargo derretido em banho-maria para decorar

Numa panela, derreta o chocolate em banho-maria. Numa batedeira, bata o cream cheese até que fique bem fofo. Passe uma espátula pelos lados e fundo do bowl para que não fique nenhum pedaço sem bater.
Junte as essências de baunilha e amêndoa e o açúcar. Bata bem. Acrescente os ovos e bata mais um pouco até misturar.
Numa tigela, separe 2 conchas e meia dessa mistura e junte o chocolate derretido.
Unte bem com manteiga uma forma de fundo removível de 25 cm de diâmetro e leve à geladeira por aproximadamente 20 minutos.
Retire da geladeira, unte novamente e distribua o creme claro. Coloque o creme de chocolate numa manga de confeitar com bico número 6. Enfie o bico da manga no centro do creme branco e aperte até formar uma bola de chocolate com a altura do cheesecake. Faça bolas menores ao redor da bola grande, tomando cuidado para não encostar uma na outra. Leve ao forno preaquecido a 120°C e asse em banho-maria por 1 hora e 45 minutos. A parte de cima do bolo ficará dourada e seca ao toque, mas ficará mole por dentro.
Deixe o cheesecake esfriar fora do banho-maria por 2 horas e meia. Cubra com filme plástico, bem esticado, encostando na superfície do bolo. Vire o bolo sobre um prato e remova a forma com cuidado.
Leve à geladeira por algumas horas e decore com chocolate derretido.
Para servir, molhe a faca em água quente antes de fazer cada corte.

12 porções

CREME DE MASCARPONE COM BLUEBERRY E AMORA

creme de mascarpone

- 2 xícaras de mascarpone fresco
- 1 xícara de creme de leite fresco
- 1/2 xícara de açúcar
- 1/2 colher (chá) de essência de baunilha

Numa tigela, junte todos os ingredientes, que devem estar bem gelados. Bata com um batedor de mão ou fouet até formar um creme leve. Reserve.

calda

- 2 xícaras de amora congelada
- 1 xícara de açúcar
- 1/3 de xícara de licor de cassis

Numa panela, junte todos os ingredientes. Leve ao fogo baixo e cozinhe por cerca de 10 minutos, só o suficiente para desmanchar as amoras.

montagem

- 1 xícara de blueberry fresca
- 2 colheres (sopa) de raspa de laranja para polvilhar
- Açúcar de confeiteiro para polvilhar

Disponha um pouco da calda de amora no fundo de copos individuais. Sobre a calda coloque o creme de mascarpone. Finalize com mais um pouco da calda, as blueberries e polvilhe raspa de laranja e açúcar de confeiteiro.

10 porções

OVOS NEVADOS COM CALDA DE RAPADURA

ovos nevados

- 5 claras
- 1 xícara de açúcar
- 1 pitada de sal

Numa tigela, misture as claras, o açúcar e o sal. Leve ao fogo em banho-maria, mexendo sempre, até dissolver o açúcar. Retire do fogo e bata bem com a batedeira até obter um merengue firme.
Numa panela grande, coloque bastante água para aquecer, sem deixar ferver (90°C). Mantenha sempre a mesma temperatura enquanto cozinham os ovos. Utilizando 2 colheres de sopa, forme ovos com o merengue batido, cozinhando de todos os lados. Os ovos devem ficar firmes e ligeiramente crescidos. Leve à geladeira.

calda de rapadura

- 2 xícaras de leite
- 1 xícara de creme de leite fresco
- 1/4 de xícara de açúcar
- 60 g de rapadura triturada ou açúcar mascavo
- 8 gemas peneiradas
- 2 colheres (sopa) de melado de cana
- Rapadura triturada para polvilhar

Numa panela, ferva o leite com o creme de leite e metade do açúcar comum e do mascavo. Num bowl, bata as gemas com o açúcar restante. Despeje um pouco do leite fervido sobre as gemas, misture bem e volte ao fogo baixo, mexendo sempre. Quando começar a engrossar, retire do fogo, junte o melado e deixe esfriar. Num prato fundo, disponha um pouco da calda e 3 ovos nevados por cima. Polvilhe com um pouco de rapadura triturada.

8 porções

CREME DE
MASCARPONE
COM
BLUEBERRY
E AMORA
p. 137

9_SOBREMESAS GELADAS
_138/139

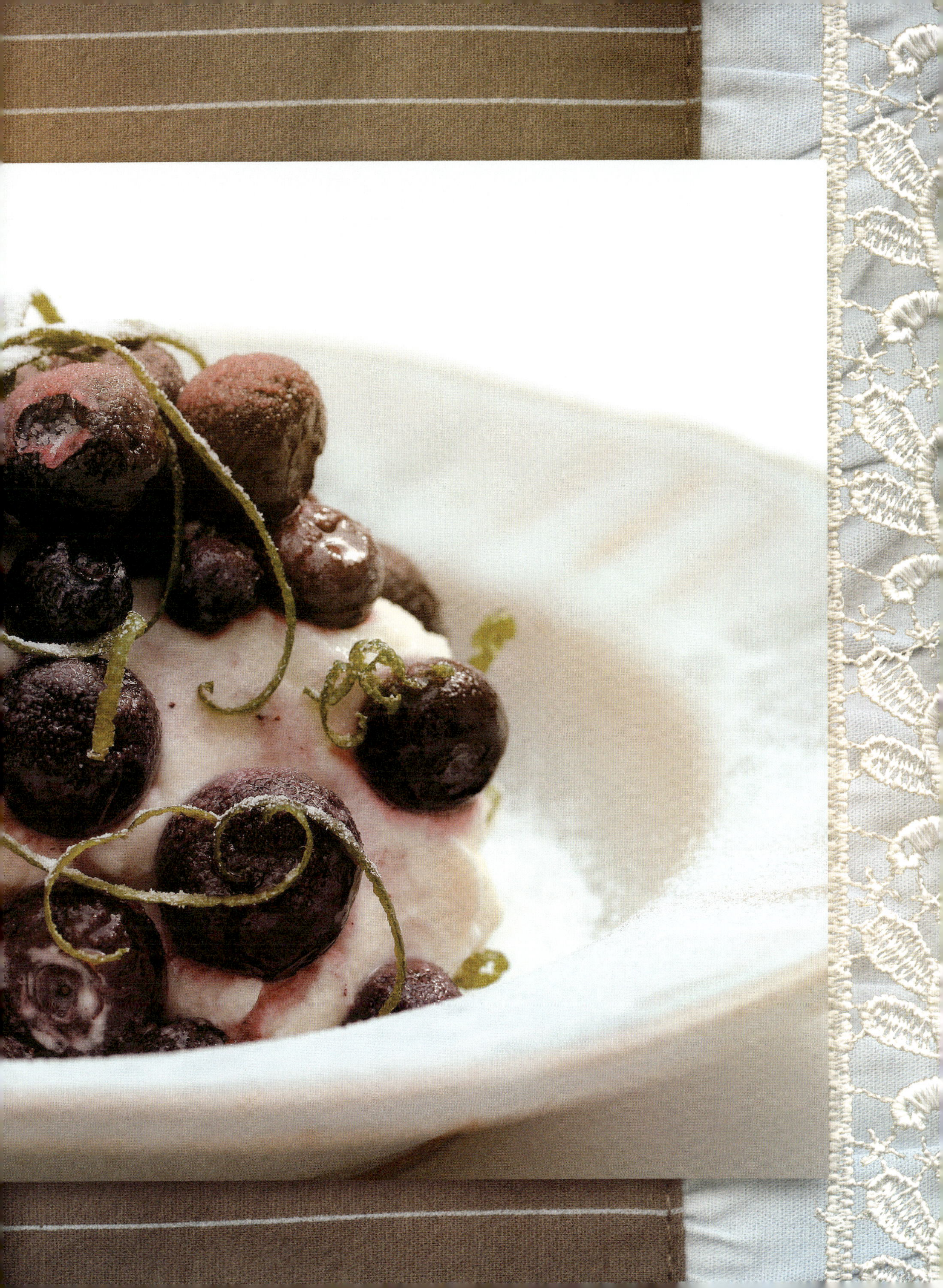

9_SOBREMESAS GELADAS
_140/141

NÊMESIS DE CHOCOLATE

9 ovos
2 1/4 de xícaras de açúcar
2/3 de xícara de água
510 g de chocolate meio amargo
335 g de manteiga
2/3 de xícara de farinha de trigo
Manteiga para untar
Sorvete e calda de chocolate para acompanhar

Bata com a batedeira os ovos com 2/3 de xícara de açúcar até quadruplicar o volume.
Enquanto isso, numa panela, junte o açúcar restante com a água e ferva por cerca de 10 minutos.
Retire do fogo e junte o chocolate e a manteiga.
Com a ajuda de um batedor manual ou fouet, incorpore a calda de chocolate aos ovos e, por último, a farinha de trigo.
Unte uma forma de aproximadamente 22 cm de diâmetro, forre com papel-manteiga e unte novamente. Coloque a massa.
Leve ao forno preaquecido a 140°C e asse em banho-maria por cerca de 35 minutos.
Deixe esfriar e desenforme. Sirva em fatias, acompanhado do sorvete de sua escolha e calda de chocolate quente.

10 porções

9_SOBREMESAS GELADAS
_142/143

OVOS NEVADOS COM LICHIA, MOLHO CREMOSO DE COCO E GENGIBRE

ovos nevados

5 claras
1 xícara de açúcar
1 pitada de sal

Numa tigela, misture as claras e o açúcar e leve ao fogo em banho-maria, mexendo sempre, até dissolver o açúcar. Retire do fogo, acrescente o sal e bata com a batedeira até obter um merengue firme. Numa panela grande, coloque bastante água para aquecer, sem ferver (90°C). Mantenha sempre a mesma temperatura enquanto cozinham os ovos.
Utilizando 2 colheres de sopa, forme ovos com o merengue, cozinhando de todos os lados. Os ovos devem ficar firmes e ligeiramente crescidos. Leve os ovos nevados à geladeira.

molho cremoso

7 gemas
7 1/2 colheres (sopa) de açúcar
1 lata de leite evaporado
1 vidro de leite de coco
1 xícara de coco fresco ralado

Numa panela, misture as gemas, o açúcar, o leite evaporado e o leite de coco.
Leve ao fogo e cozinhe até engrossar, mas sem deixar ferver. Retire do fogo e misture o coco. Leve à geladeira.

confit de gengibre

1 1/2 xícara de gengibre em tirinhas bem finas
1 xícara de açúcar mascavo
1 xícara de açúcar
6 cravos-da-índia
1 canela em pau
4 xícaras de água
18 lichias em conserva picadas

Ferva o gengibre duas vezes, em duas águas para tirar o excesso de ardor. Escorra.
Numa panela, junte o gengibre, os açúcares, as especiarias e a água. Ferva em fogo baixo por 40 minutos, até que o gengibre esteja bem transparente e a calda em ponto de fio (quando colocar um garfo na calda e puxar, vão se formar fios).
Distribua o molho cremoso de coco em pratos fundos e coloque os ovos nevados por cima. Decore com as lichias e o gengibre.

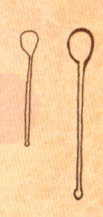

10 porções

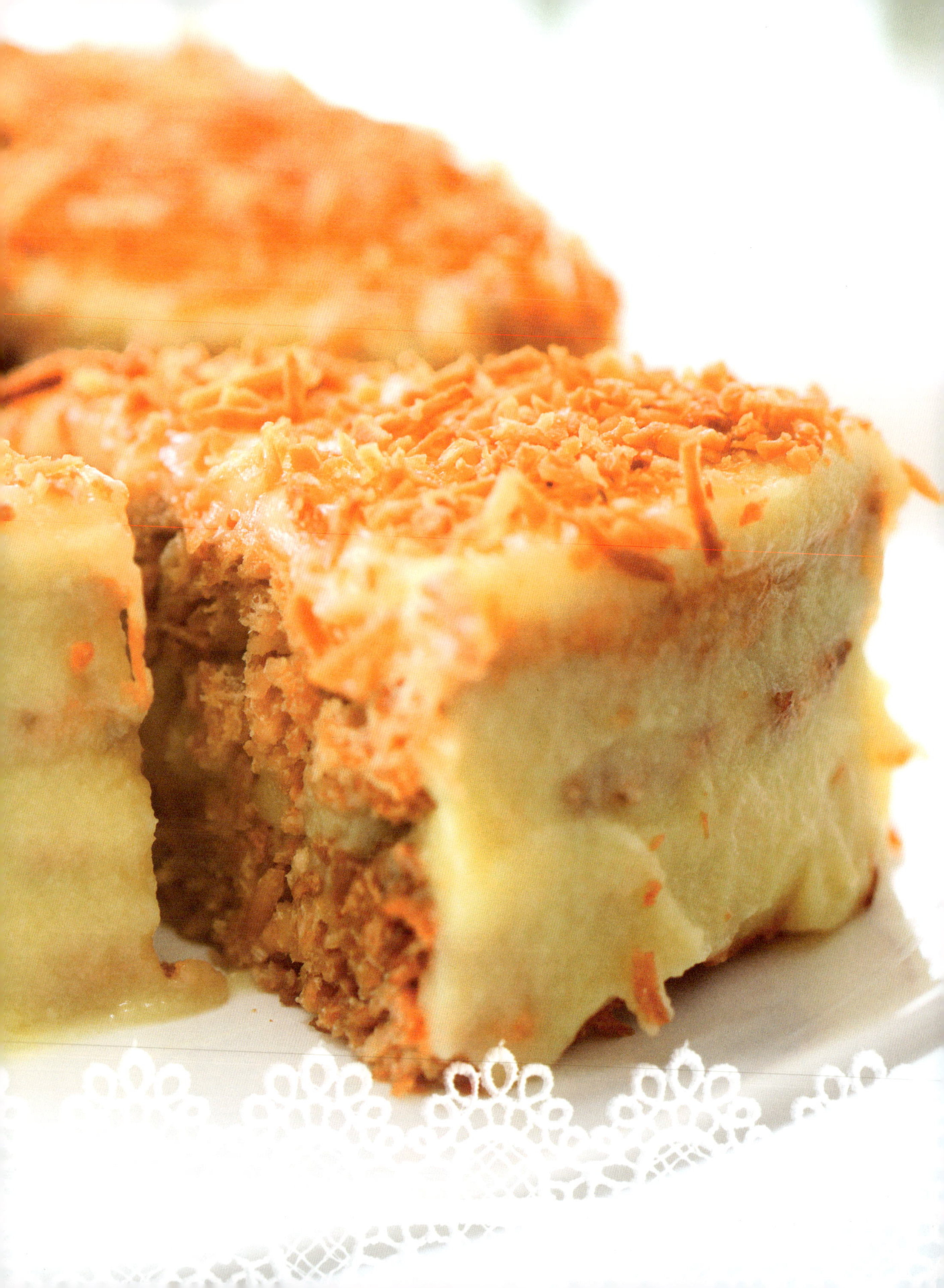

10
TORTAS

A mulher torta

Não tive a sorte de nascer linda. Nem mesmo bonita, ajeitada ou direitinha. Não dou nem pro gasto. Já ouvi de tudo na vida: "Oi, você tem telefone? Tem? Então vende e faz uma plástica!", "Puxa, você caiu do céu, pena que foi de cara no chão."

Mas se por um lado sou um jaburu, por outro, sou até inteligente. E muito cedo minha inteligência me fez ver que eu jamais me casaria com alguém. Quem em sã consciência acordaria ao lado de um susto?

"Sai pra lá, filhote de cruz-credo." É. Meus cabelos não ajudam. Meus olhos são esbugalhados. Meu nariz é gigante. Em suma, sou toda torta.

Meu futuro era preocupante.

Certa vez, meu nariz e eu saímos para dar um passeio. Gosto de ler sob as árvores e o dia de sol com uma brisa suave da manhã convidavam para isso. Acomodada sob uma figueira, passei a devorar páginas e páginas do meu romance preferido. Me distraí ao ponto de não perceber o tempo passando, a brisa sumindo e o sol esquentando além do limite do agradável. Era perto do meio-dia e eu não tinha levado nada além de uma maçã. Perto de mim, uma família se preparava para um piquenique.

Enquanto as crianças jogavam futebol com o pai, a mãe servia coisas deliciosas sobre uma toalha xadrez. O aroma da torta de figos frescos, ainda fumegante, começou a me enlouquecer. Tentei desviar a atenção mas era impossível. Meu nariz gigante não me deixa em paz quando o assunto é cheiro de torta.

Esperei o momento adequado para dar um bote. A mãe foi ao carro buscar mais coisas e eu, agindo como uma criança maluca, me esgueirei pela grama. Quando estava quase alcançando a torta, imaginando ser um esquilo leve e quase invisível, me enrolei sem querer na toalha, desequilibrei e caí de cara na torta. Não deu tempo de fugir, a mãe e as crianças me pegaram nessa situação. Mas pelo menos, todos riram bastante da minha cara, suja de torta e merengue. Apontavam o dedo para o meu nariz gritando: é uma bruxa recheada de merengue!! Ha...ha...ha. Um policial se juntou ao coro e não demorou para alguns cães aproveitarem a confusão para lamber restos de torta espalhados pelo chão. Foi feio, bem feio. Claro, tudo que diz respeito a mim é feio. Na verdade, desde esse dia, quase tudo.

A experiência me marcou tanto que o delicioso sabor da torta de figos frescos passou a ser minha sina. Acordava no meio da noite podendo jurar que a torta estava saindo do meu próprio forno. Isso se repetiu uma centena de vezes até que resolvi fazer a torta eu mesma.

Nunca tive esse talento, mas também, como não tenho nenhum outro, por que não tentar? Comprei os ingredientes que faziam sentido e segui a intuição.

Para minha surpresa, adivinhem? A torta, além de linda, era deliciosa. E rapidamente virou um sucesso na cidade, as encomendas se multiplicaram, tive que ampliar a cozinha e, agora, abrir meu próprio negócio.

Como disse antes, sou feia, mas não sou burra. Aproveitei minha fama como marketing e, para o nome da confeitaria, nem pensei duas vezes. Vai se chamar *A torta mais bela do mundo*.

Para quem nasceu toda torta, ter como destino um final feliz não é uma beleza?

10_TORTAS_148/149

TERRINE DE OVOMALTINE E NOZ PECAN

Massa
400 g de manteiga
300 g de açúcar
200 g de Ovomaltine
5 ovos inteiros
5 gemas
1 pitada de sal

Derreta a manteiga com o açúcar em banho-maria, e junte o Ovomaltine.
Bata os ovos com as gemas, despeje em fio ainda em banho-maria sobre a mistura de chocolate, acrescente o sal, incorpore bem, despeje em forma de pão untada com manteiga e açúcar e leve para assar em banho--maria, forno médio, 150°C, por cerca de 45 minutos. Leve para a geladeira por cerca de 1 hora antes de desenformar. Corte a massa em 3 partes e recheie.

Recheio
1 ½ latas de leite condensado
4 colheres de sopa de cacau em pó
¾ xícara de noz pecan picada grosseiramente
2 colheres de sopa de manteiga
1 colher de café de essência de baunilha
1 pitada de sal

Leve tudo ao fogo médio mexendo sem parar até adquirir consistência cremosa, cuidando para não deixar engrossar demais. Despeje em tigela untada com manteiga e deixe amornar para rechear.

12 porções

MARQUISE DE MAÇÃ COM NACOS DE ROQUEFORT

Crosta
150 g de açúcar
90 g de manteiga
45 g de farinha de trigo
120 g de Neston

Misturar tudo com as pontas dos dedos.
Apertar a massa no fundo do aro onde a torta será montada com um silpat (placa de silicone) por baixo. Levar ao forno preaquecido a 160°C por cerca de 15 minutos ou até bem dourada. Reserve.

Recheio
10 maçãs fuji
1 1/2 xícaras de açúcar
150 g de queijo roquefort

Descasque as maçãs e rale à julienne, rapidamente para não escurecer.
Leve as maçãs raladas ao fogo alto juntamente com o açúcar, e cozinhe bem para caramelizar a maçã e secar bem o líquido. Resfrie e, se necessário, escorra o restante do líquido em um *chinois*.
Aperte a maçã caramelizada sobre a crosta já assada e leve à geladeira.
Para servir, decore com nacos de queijo roquefort de boa qualidade em temperatura ambiente e cubra com o caramelo.

Caramelo
250 g de açúcar
250 g de água
1/2 xícara de suco de limão
1 unidade de fava de baunilha

Leve ao fogo o açúcar com a água e a fava de baunilha aberta ao meio e ferva até ponto de calda rala.
Junte o suco de limão peneirado e a essência de baunilha, ferva por mais 5 minutos e desligue. Reserve.

6 porções

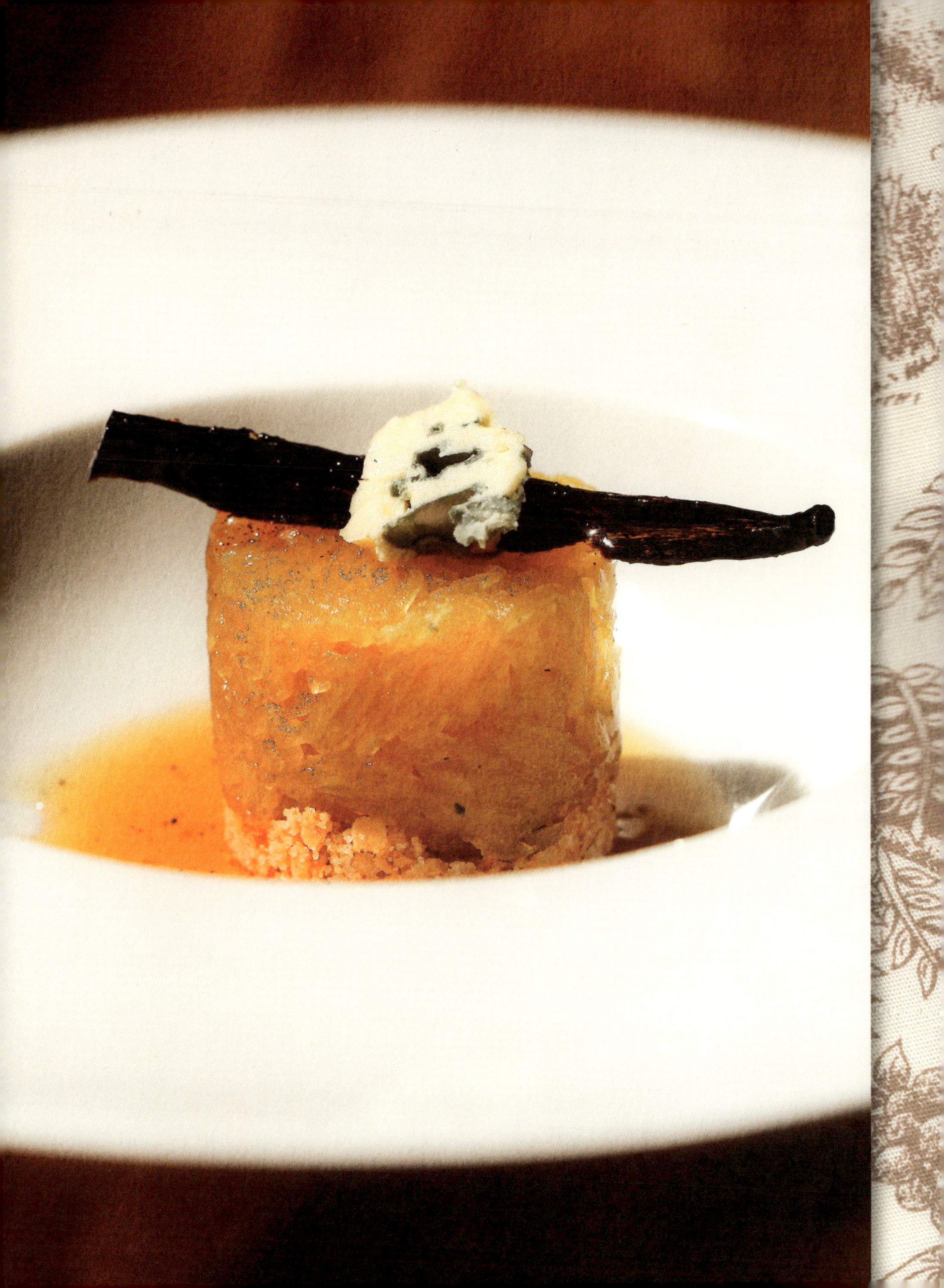

10_TORTAS_152/153

TORTA DE CASTANHA DO PARÁ E RICOTA COM COMPOTA DOURADA DE CAJU
p. 154

TORTA DE CASTANHA DO PARÁ E RICOTA COM COMPOTA DOURADA DE CAJU

Torta
500 g de ricota cremosa
1 lata de leite condensado
4 ovos
200 g de castanha do pará
50 g de açúcar
Gotas de baunilha
2 colheres de sopa de amido de milho

Bata no liquidificador o leite condensado, os ovos, a castanha do pará e metade da ricota. Fora do liquidificador, incorpore o restante da ricota, o amido de milho, a baunilha e o açúcar. Asse em forma redonda de 20 cm de diâmetro untada com manteiga e forrada com papel manteiga.
Asse em banho maria a 160°C por cerca de 40 minutos.

Compota dourada de caju
8 unidades de caju fresco
2 xícaras de açúcar
1 1/2 xícara de água
Suco de 2 limões cravos

Descasque os cajus conservando as castanhas. Amasse-os entre os dedos extraindo um pouco do suco, separe os cajus e o suco, e regue-os com o suco de limão. Caramelize metade do açúcar, junte a água e o açúcar restante e leve ao fogo brando fervendo até reduzir a 2/3.
Junte os cajus com o suco à calda e cozinhe por cerca de 30 minutos, ou até bem macios. Deixe esfriar e conserve-os imersos na calda. Use-os para decorar a torta.

10 porções

EMPADINHAS DE CHOCOLATE BRANCO COM FRUTAS TROPICAIS E CROSTA DE CORN FLAKES

Crosta
120 g de corn flakes
50 g de leite em pó
110 g de farinha de trigo
4 gemas
150 g de manteiga amolecida
60 g de açúcar

Com as mãos vá esfarelando o corn flakes para quebrá-los grosseiramente. Junte o leite em pó, a farinha de trigo, o açúcar, misture bem com a ponta dos dedos, junte a gemas e por último a manteiga, cuidando para não sovar demais a massa. Resfrie embalada em filme plástico. Forre forminhas de torta individuais e leve ao forno preaquecido a 160°C por cerca de 18 minutos ou até dourar. Reserve.

Recheio e cobertura
250 g de chocolate branco picado
120 g de creme de leite
Raspas de 1/2 limão siciliano
1 pitada de sal
1 xícara de cubinhos de abacaxi em calda para decorar
1 xícara de cubinhos de kiwi para decorar
1 xícara de cubinhos de manga para decorar

Aqueça o creme de leite, junte as raspinhas de limão, o sal e o chocolate picado, misture bem até derreter completamente.
Encha as massinhas com o ganache e resfrie.
Decore as tortinhas com os cubinhos de frutas.

6 porções

BAKED ALASKA DE DOCE DE LEITE COM LARANJA

Musse de doce de leite
3 ovos
3 xícaras de doce de leite argentino
1 xícara de creme de leite fresco
1 colher de sopa de Cointreau
Raspas de 1 laranja
1 pitada de sal

Em banho-maria, junte o doce de leite e as gemas, mexendo sempre por cerca de 15 minutos. Resfrie a mistura e reserve. Bata o creme de leite com o Cointreau e as raspas de laranja até o ponto de chantilly. Reserve.
Bata as claras em neve com 1 pitada de sal. Incorpore delicadamente o creme fresco batido ao doce de leite e por último as claras em neve. Forre uma forma untada com papel manteiga deixando as bordas do papel sobrarem, encha com a musse e leve ao freezer até ficar bem firme, cerca de 3 a 4 horas.

Marshmallow
3 claras
1 1/2 xícaras de açúcar
1 xícara de água
1 colher de chá de essência de baunilha
1 pitada de sal

Junte o açúcar e a água e leve ao fogo médio, ferva até adquirir a consistência de fio fino. Bata as claras em neve com 1 pitada de sal e a baunilha, diminua a velocidade da batedeira, e cuidadosamente vá despejando a calda com a batedeira em movimento. Continue batendo até a mistura esfriar.
Retire a mouse do freezer, desenforme e cubra com o marshmallow. Queime a torta com um maçarico para finalizar e sirva em seguida.

8 porções

TORTA DOURADA DE COCO E BABA DE MOÇA

Merengue
700 g de coco ralado fino
280 g de açúcar
14 claras
120 g de açúcar
1 pitada de sal
Manteiga para untar
Fécula de batata para untar

Misture ao coco ralado 2/3 do açúcar e leve ao forno médio a 160°C até bem dourado por cerca de 15 minutos. Reserve.
Bata as claras em neve com uma pitada de sal até formar picos bem firmes. Retire da batedeira e incorpore 1/3 restante do açúcar e o coco queimado. Unte 2 assadeiras de 25 cm de diâmetro com manteiga e fécula de batata, despeje metade da massa em cada uma e leve ao forno preaquecido a 150°C por cerca de 35 minutos, ou até que o palito saia seco. Os discos irão murchar após esfriar.

Baba de moça
3 xícaras de chá de açúcar
1 xícara de água
2 colheres de sopa de manteiga
400 ml de leite de coco
14 gemas
1 colher de chá de amido de milho

Leve a água e o açúcar ao fogo e ferva sem mexer até formar uma calda grossa, retire do fogo e junte a manteiga. Resfrie.
Misture o leite de coco, o amido de milho e as gemas peneiradas e incorpore à calda morna batendo com um fouet, leve de volta ao fogo mexendo sempre para engrossar, cuidando para não ferver e talhar as gemas. Resfrie.

Montagem
350 g de coco ralado grosso
80 g de açúcar

Misture o coco ao açúcar e leve ao forno médio para dourar bem. Reserve. Monte a torta colocando um dos discos de merengue sobre um prato, passe uma camada grossa de baba de moça, cubra com o segundo disco e finalize passando o restante da baba de moça sobre a torta e polvilhando o coco queimado grosso. Sirva gelado.

12 porções

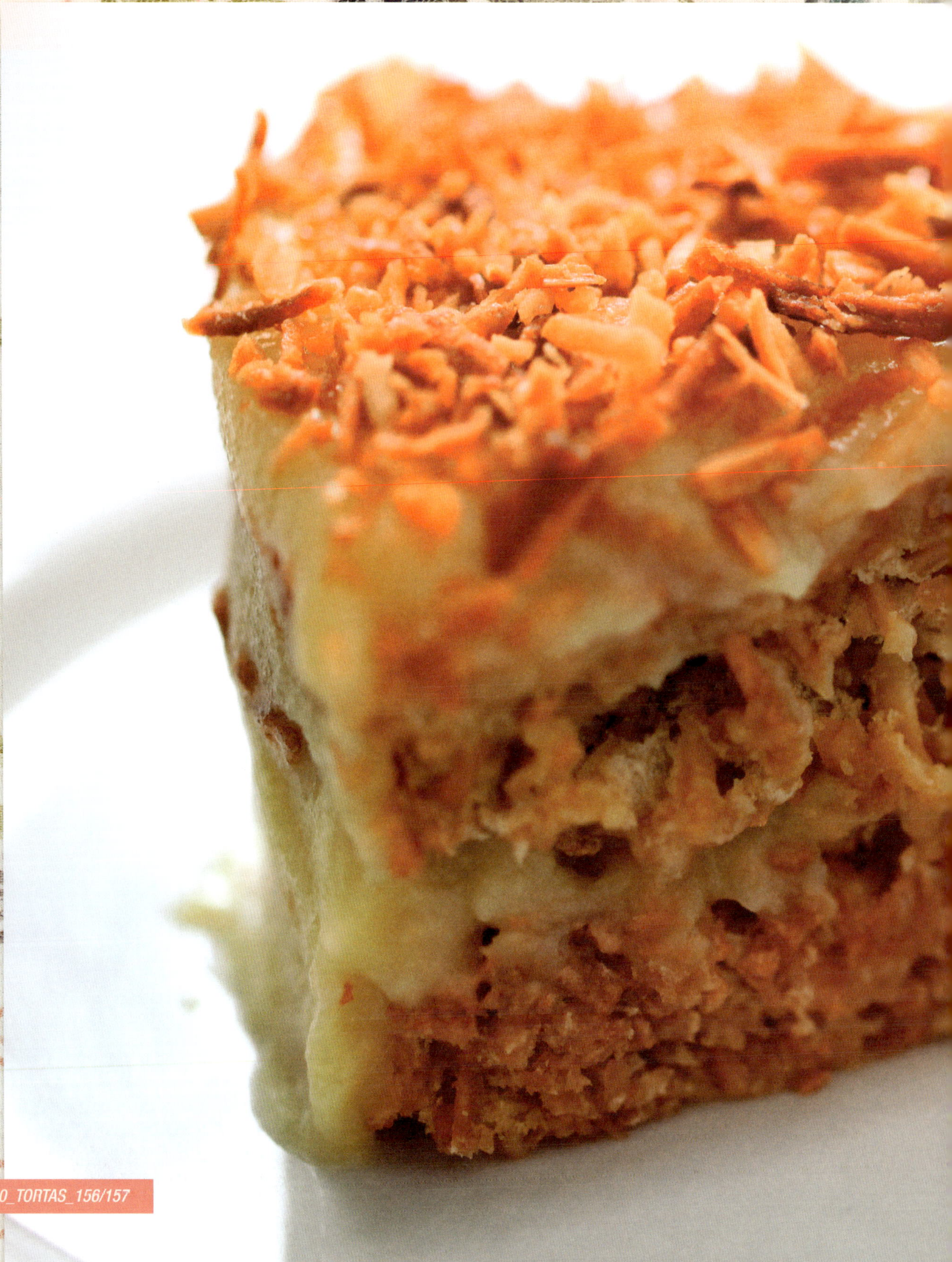

TORTA
DOURADA
DE COCO
E BABA
DE MOÇA
p. 155

10_TORTAS_158/159

CESTA DE MARZIPAN COM NATA BATIDA, LEMONCELLO E AMORAS FRESCAS

600 g de marzipan
QB açúcar de confeiteiro
400 g de nata
100 g de açúcar
2 colheres de sopa de Lemoncello
200 g de amoras frescas

Entre dois plásticos e com um pouco de açúcar de confeiteiro abra a massa de marzipan. Abra com 3 mm de espessura, corte círculos de 10 cm de diâmetro e monte as cestinhas. Reserve. Bata a nata com o açúcar e o Lemoncello até ficar bem firme e cremoso. Recheie as cestinhas com a nata batida e decore com as amoras frescas.

4 porções

BAKED ALASKA
DE DOCE DE LEITE
COM LARANJA
p. 155

EMPADINHAS DE CHOCOLATE BRANCO COM FRUTAS TROPICAIS E CROSTA DE CORN FLAKES
p. 154

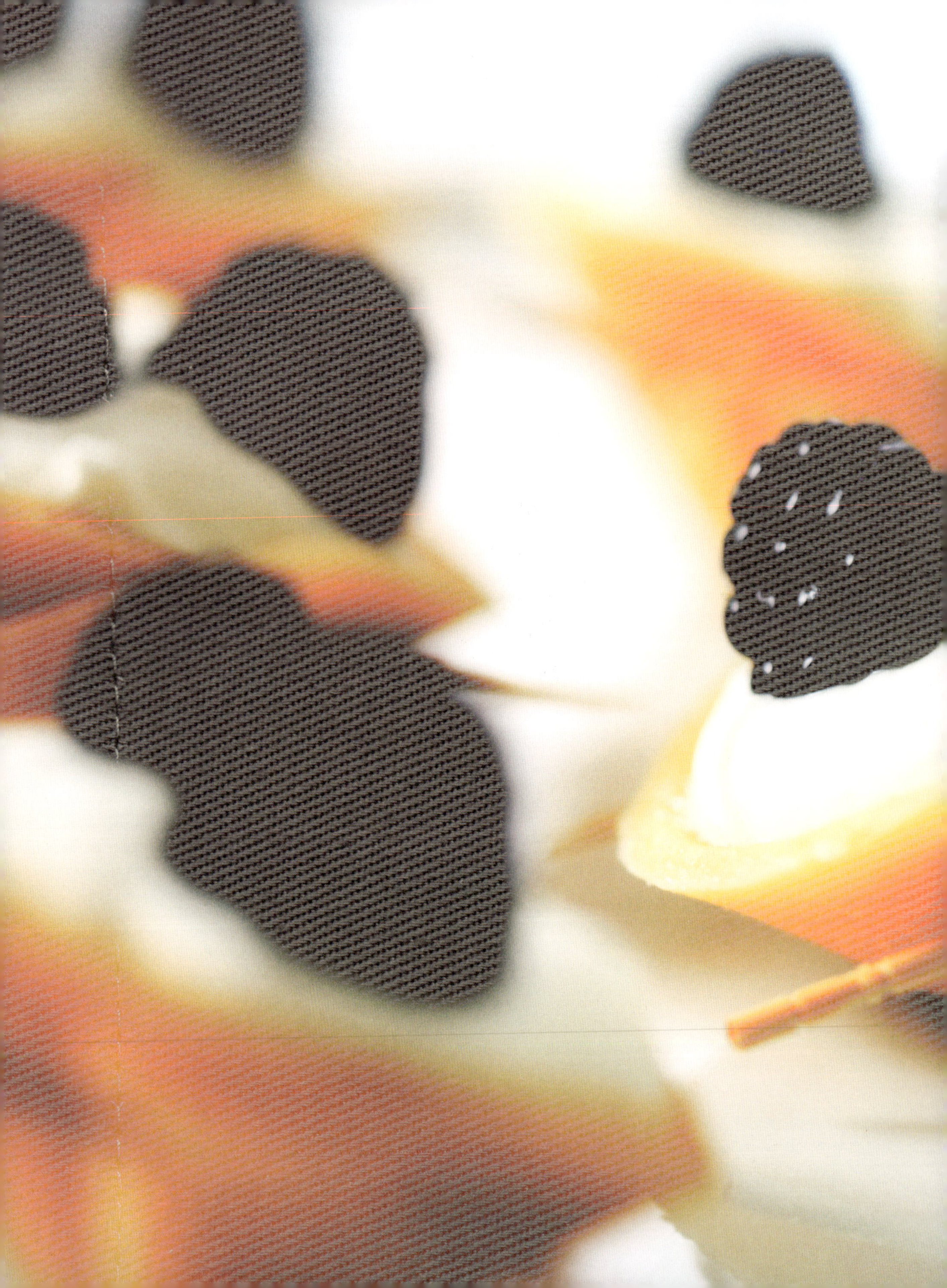

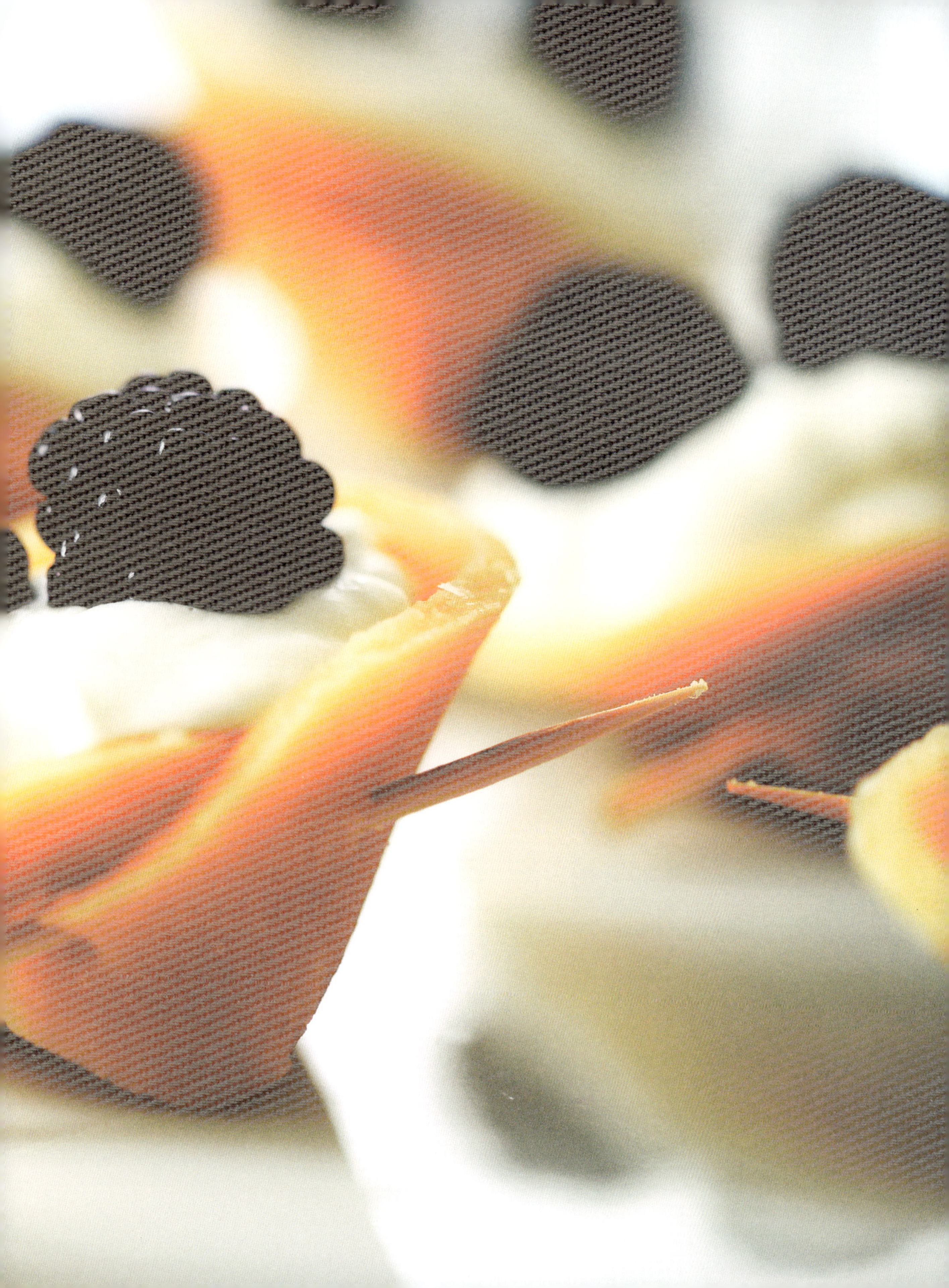

This is a beautiful book, but you already know that. You've seen it. You also know that the recipes are to die for. After all, we also know both chefs and their talented skills. Carla and Carolina need no introduction. However, this time around, there's Tetê's writing too. Wow! What a team! This is what I like the most in this book: the team behind it. These women working together... each one in their own way, with their own gift, personality, trait, intelligence, wit and talent... provoking us, inciting us, touching all our senses. They came together with a wonderful purpose of inspiring us. In the name of every reader, it's my job to thank and be grateful to these great women. Fernando Pernambuco, who took the wonderful pictures, and Leandro Bertelli, who did an amazing art direction, will have to excuse me, but this is about the women. The title — by the way, I looooove the title - says it by itself. So boys, pay attention! Even though they can't live without you, this book is a way into the other world... So for that reason, instead of an introduction, I should be writing an ode to these two women who, with their recipes, musings, magic and chemistry flourish our lives with beauty, subtlety and quality. By sending us to the kitchen — a place women should never leave — they share with us a rich and very special world, full of tastes, senses, memories, fantasies...
I love this image of a bunch of women in the kitchen. The gentlemen will have to excuse me, but this is the super feminine way — cooking, baking — to exchange our secrets, hopes and dreams, memories and anecdotes... It's while baking a cake or testing a recipe that we redesign our lives to become better human beings. I am touched by their enormous generosity to share their secrets and recipes; to open the door to their hearts, and invite us to a world that quickly becomes ours as well. You can sense it, smell it, just by turning the pages of the book.
I love sharing. I only believe in life this way, in what we share, mix, in the so-called inter-dependence. I love exchanging information, tips, and confidences. This is the way their book is: a chat among girl friends. I love the gathering sense: friends together, making art together, making a book together, and making sound easy what in reality is not. Wether it is the right point of a pastry or the frenzy of a feeling.
We have learned a long time ago that it is not possible to be happy alone. But there's no problem in reminding us as many times as necessary. This book also has this power: to make us belong. It's not a small achievement. Enjoy. Enjoy it with all your senses.
Mônica Figueiredo

I remember the exact day I thought my friend Carla Pernambuco's restaurant was more than a pleasant place with a menu full of things I love. On that day I realized that my friend's restaurant, that she'd opened not very long ago, deserved a superlative — not one that was based on the personal connection, nor on the idiosyncrasies of my taste, but based on at least a decade of field research. "Carla, your restaurant has the The Best Dessert Menu in the City." (Those were my exact words: in upper case). And in those days, she still didn't have the dulce de leche petit gateau, nor the sugar-apple custard, or the avocado brûlée, or Carolina Brandão to help her come up with these things. The star of the dessert menu at the time was the guava soufflé (legendary nowadays), the brownie, the tarte tatin and a cheesecake that outgrew any possible memory of any New York cheesecake one could possibly have. Well, on that same day, I spent hours praising the aforementioned cheesecake: that the cheesecake was this, and the cheesecake was that; and that there was no cheesecake like it in the city... However, Carla explained:
"I actually don't make the cheesecake. I buy it from Isabella Suplicy." In other words: she does it well, and knows who does it too. You couldn't be in better hands. Enjoy.
Ricardo Freire

1. TATINS
016 *"CHOCOLATE AND APPLES"*
020 MANGO AND BROWN COCONUT TATIN
020 APRICOT TATIN
021 APPLE TATIN
025 BANANA TATIN

2. MILLE-FEUILLES
028 *"A THOUSAND AND ONE LEAFS"*
032 HONEY NUT FINGERS
033 MARROM-GLACÉ SPRING ROLLS
036 MILLE-FEUILLES FILLED WITH DULCE DE LECHE AND VANILLA SORBET
036 MILLE-FEUILLES FILLED WITH FIGS SPICED CUSTARD
037 BAKED BANANA ROLLS WITH TAPIOCA
037 MILLE-FEUILLES WITH TRUFFLED CHOCOLATE AND RAISINS IN RUM
041 STRAWBERRY MILLE-FEUILLES

3. PUDDINGS
044 *"CUSTARD"*
047 COCONUT PANNA COTTA
048 CARLOTA'S SUGAR-APPLE CUSTARD PUDDING
048 PANNA COTTA WITH FRESH RASPBERRY SAUCE
049 YOGURT CUSTARD
049 MANJAR DE DULCE DE LECHE
053 MILK CUSTARD PUDDING

4. BRÛLÉES
056 *"PMS"*
059 PAPAYA BRÛLÉE WITH RASPBERRIES
060 CREAMY AVOCADO BRÛLÉE
060 CLASSIC CRÈME BRÛLÉE
061 LEMON GRASS CRÈME BRÛLÉE
061 RICE PUDDING BRÛLÉE

5. CAKES
066 *"THE BRIDE AND HER CAKE"*
069 SPONGE CAKE
072 TAPIOCA CAKE
072 DEVIL'S FOOD CAKE
076 BLACK FOREST
077 MARBLE CAKE
081 SWISS ALMOND AND CARROT CAKE WITH APRICOT

6. TINY TREATS
084 *"THE VIRGIN CONFECTIONARY"*
086 COCONUT TINY EGGS
086 STICKY CHOCOLATE TREATS
091 CAMEOS
092 CUPUAÇU NESTS
093 INDIAN TINY SWEETS
093 TOUCINHO DO CÉU WITH PISTACHIO
097 CHOCOLATE BONBONS

7. GÂTEAUX
100 *"THE KILLER LIL' CAKE"*
102 WARM AND CREAMY BANANA CAKE
102 GUAVA PETIT GÂTEAUX
105 PORTUGUESE CHEESE PETIT GÂTEAUX
106 CHOCOLATE PETIT GÂTEAUX
106 COCONUT GÂTEAUX
108 CARLOTA'S DULCE DE LECHE PETIT GÂTEAUX
109 FIG PRESERVES PETIT GÂTEAUX

8. SOUFFLÉS
114 *"PHONE RINGS"*
117 BANANADA SOUFFLÉ
120 FROZEN STRAWBERRY SOUFFLÉ
121 CARLOTA'S GUAVA SOUFFLÉ WITH CREAM CHEESE SAUCE
124 QUINCE SOUFFLÉ
124 CHOCOLATE SOUFFLÉ

9. FROZEN DESSERTS
128 *"ALICE BELOW ZERO"*
130 CARLOTA'S SUNDAE
130 FROZEN TAPIOCA TIRAMISÙ
135 THE MARQUISE'S CUSTARD
136 CHOCOLATE CHEESECAKE
137 MASCARPONE CREAM WITH BLUEBERRIES AND MULBERRIES
137 ILES FLOTANT WITH DRIED SUGAR CANE SAUCE
141 CHOCOLATE NEMESIS
143 ILES FLOTANT WITH COCONUT CREAM, LYCHEE AND GINGER CONFIT

10. PIES
146 *"THE PIE WOMAN"*
149 PECAN-OVALTINE TERRINE
150 APPLE MARQUICE WITH ROQUEFORT CHUNKS
154 BRAZIL NUT AND RICOTTA CAKE WITH CASHEW PRESERVES
154 CORN FLAKES CRUST WHITE CHOCOLATE AND FRUIT TARTS
155 ORANGE DULCE DE LECHE BAKED ALASKA
155 GOLDEN CREAM COCONUT TART
159 MARZIPAN BASKETS FILLED WITH CREAM, LEMONCELLO AND BERRIES

195 GLOSSARY

1. TATINS

CHOCOLATE AND APPLES

Men love women who cook. Oui, because all they think of is eating… either their food or their women. Or both at the same time.

I was never a very good cook; I am more of a sweets person. I invented the femme au chocolat. A big hit back in the day… Any hunter passing by Lamotte-Beuvron would line up just for a taste.

Chop a milk chocolate bar into pieces; and in a saucepan, melt it over medium heat. Every now and then, stir in a drop of milk. When the mixture is smooth, remove from heat and leave it to cool on the window' sill, letting the decadent aroma trigger an invitation to pleasure. After attracting your prey (hunting is in the region's DNA), the technique is to slowly drip the chocolate cream over the body, making your man - or men, as many as you wish - stare with hungry desire, just waiting the signal to voluptuously attack. For a woman without many culinary skills as myself, the recipe was a triumph.

Until one day that one hunter showed up. He didn't like chocolate. His sin was apples. I tried to improvise; but, like I said, I had more talent in bed than in the kitchen. Every attempt I made didn't work out, so I became obsessed. I wanted him. And I wanted him to want me. I started to stalk him. I knew he would be staying at the Tatin Hotel. Of course, they're fixated in eating; and the Tatin sisters were the most popular in the region. Bouf.

I started spying on him through the hotel's restaurant's window. There he was, licking the gigot en croute off the moustache, covering them with compliments. Merde, c'est tout la même chose! Men love women who masterfully bake and cook. I was possessed with jealousy.

So I stormed into the kitchen through the back door. Stephanie Tatin was peeling – Mon Dieu! – apples!?! Certainly they were for him. When someone called from the dining room, I thought: perfect opportunity. If I couldn't have him, no other skanky French bitch would either. The oven was heating, and my blood was on fire. I had to act fast. I tossed the sliced apples in the pie dish without any pastry and threw it in the oven. I rushed to hide behind a cabinet, enjoying my machiavelic achievement.

She didn't even notice the pie in the oven. The aroma of baked apples started to take over the kitchen. I confess it was simply amazing. Stephanie opened the oven and to her surprise she saw the baked apples with no pie lid. Intuitively, she tossed the pastry lid over them and put the dish back in the oven. I was amused. Not for long though… The pie left the oven, and went straight to his table… and onto becoming the most popular apple pie in France.

I looked at the crowded dining room following the aroma the pie left behind; and turning their heads when Stephanie walked by them. I remember his smile at the first bite. The crétin melted like butter. What was intended to become a disaster became and instant phenomenon. My anger was such that I completely forgot I was the one who had created that culinary triumph.

After that night, I never saw him again. Nor I claimed ownership for the pie creation.

What would I gain by giving a bitter end to this cute little story, right?

That's the life of a confectioner: we may lose a man, but we keep every sweet's secrets to ourselves.

Elle de Lummier, Paris, march, 1919

RECIPES

MANGO AND BROWN COCONUT TATIN

PASTRY	CARAMEL	FILLING
1¼ cup of flour	2 cups sugar	4 tablespoons grated coconut lightly toasted
Dash of salt		6 mangos cut in triangles
½ teaspoon of sugar		
3½ oz. butter at room temperature		
⅓ cup iced water		

Pastry: in a bowl mix well all the dry ingredients. Cut in the butter and mix well until very crumbled. Add iced water and work it until it forms a flat surface. Wrap the pastry in plastic film and let it rest in the refrigerator for one hour.

Caramel Syrup: In a medium pot melt sugar over low heat, until it turns into light syrup.

Filling: to make the tatins, preheat oven in 350ºF. In 6 cupcake pans, pour the caramel on the bottom of each one, cover with grated coconut and fill with mango pieces up to the rim.

On a floured surface open the pastry in 6 separate circles to the size of each pan, cover, and male a little opening in the center to evaporate heat. Bake in preheated oven for about 25 minutes or until pastry is golden brown. Remove from oven, let it cool for a few minutes, and remove from pans while still warm. **Makes 6 servings.**

APRICOT TATIN

PASTRY	CARAMEL SYRUP	FILLING
1 cup + 1 table spoon flour	1½ cup sugar	35 dried apricots that have been soaking in water for 4 hours and cut open in the middle
¼ cup sugar	½ cup water	
90 g butter at room temperature		Ice cream
2 egg yolks		
Dash of salt		
Ice cold water		

Pastry: preheat oven 320ºF. In a bowl, mix flour, sugar and butter until it resembles breadcrumbs. Add egg yolks, salt and as much cold water as needed to form a dough. Wrap in plastic film and chill in the refrigerator for at least one hour.
Caramel Syrup: in a medium pan melt sugar with water in low heat, boiling slowly until it becomes a light to medium caramel colored syrup.
Filling: pour syrup on bottom of each of the 10-cupcake pan, place apricots over syrup, and alternate until filling up pans.
On a floured surface open the pastry forming 10 round discs a little larger than the diameter of cupcake pans. Cover apricots with discs, seal well with fingers, and open a little dash on top to allow steam to escape. Bake in oven for about 13 minutes or until light golden on top.
To serve: warm up tatins for a few minutes, turn each on individual plates. Serve warm with your choice of ice cream. **Makes 10 servings.**

APPLE TATIN

PASTRY	FILLING
1½ cup flour	1 cup sugar
⅔ cup sugar	1 teaspoon cinnamon
100 g. butter at room temperature	12 red apples, peeled and cut in medium wedges
Ice cold water	4 tablespoons butter

Pastry: in a bowl mix together all ingredients, sprinkling with water and working it until homogeneous dough loose from hands – don't knead it. Wrap it in plastic film and refrigerate for at least one hour.
Filling: preheat oven 320ºF. Grease 8-inch hard-bottom skillet with butter, sprinkle sugar mix with cinnamon (reserve a bit for later). Arrange apple wedges very tight at the bottom, pressing them down firmly. Spread bits of butter over apples; and cook over low heat for about 40 minutes, continuing to press apples against pan. Cook until bottom is caramelized. Let it cool.
Flour a surface, and open pastry in a circle, the size of the frying pan, enough to cover the apples. Cover them and open a small dash in the center of the pastry to let out the steam. Bake in pre-heated oven for about 25 minutes or until pastry is golden brown.
Let it cool to warm, cover with serving dish, flip pan, and tap skillet with wooden spoon until tatin is loose, lift pan.
To serve: serve warm with vanilla ice cream. **Makes 6 servings.**

BANANA TATIN

PASTRY	FILLING	CARAMEL
½ cup flour	2 cups sugar	¾ cups sugar
⅔ cups sugar	1 cup water	75 g. butter
3½ oz butter at room temperature	1 tablespoon grated ginger	A littler butter for greasing
¼ teaspoon vanilla extract	1 teaspoon cinnamon	
Ice cold water	¼ teaspoon clover	
	10 large bananas, sliced	

Pastry: in a bowl, mix all dry ingredients and sprinkle with water. Process or mix until it doesn't stick to hands. Do not knead. Wrap in plastic film and chill in the refrigerator for at least one hour.
Filling: over medium heat, melt sugar; add water, ginger, cinnamon and cloves. Boil for about 5 minutes. Add banana slices and cook for 7 minutes until cooked but still firm, not broken.
Caramel: melt sugar in a pan, add butter and stir. Line a baking pan with paper and spread the hot caramel syrup over it.
Let it cool completely until texture of hard candy. Break hard caramel in little pieces. Butter an 8-inch skillet and spread the caramel bits on the bottom. Arrange the banana slices close together over the caramel bits in the shape of a flower.
On a floured surface, open the dough to a thin layer wide enough to cover the skillet with bananas. Cover and seal it all around.

Cut center of pastry to let out the steam. Bake in preheated oven (320°F) for 15 minutes or until golden. Let it cool until warm, cover with serving dish, flip pan, and tap skillet with wooden spoon until tatin looses. Lift pan and serve warm with vanilla ice cream. **Makes 6 servings.**

―――

2. MILLE-FEUILLES

A THOUSAND AND ONE LEAFS

I am relishing this moment before consummation to last forever. Infinite time. My elastic hand stretches to touch you and draws back. I feel the heat burn inside me, every inch of my being on fire. I need you now… I look for the perfect quote… I know… I'd die for you. What a cliché. I am taken by desire and guilt. Another cliché. Better: I am taken with guiltless desire. A vivid red throbbing guiltless desire. I did it! No guilt! I can't control it, do you understand? I look at you and tremble with fear and joy. Lust. No. Not lust, delirium. Delirium and lust. Addiction.

A round, full, vicious circle. When I think about you, I turn into someone else. When I think about you…? Did I just say that? Silly me… I think about you all the time, it's a permanent state. You're in my blood. You're part of my DNA. You could be a cell in my body. Now I'm exaggerating. I always exaggerate. I want to find a reason that explains it. But there's no reason, it's all emotion. Skin, tissue, organs, everything. Why am I like this? Can it be the hormones? What do I want after all? Having you is not enough, I want to be you. Relish you. It excites me. Our existence is so short and intense. Do you do that to other people as well? Do you find many women like me? I doubt it. This is the time I am blissfully fulfilled. I need nothing else.

Only the two of us here in bed would be enough for me. Distress. My heart beats wildly.

I know we won't stay together. I don't want to suffer before its time. It doesn't matter if I look for you in other men. This cockiness of yours annoys me. I wish you were in my shoes, lived with my guts. Depended of me a bit, for a change. Only existed if I existed. Got addicted to me. Wanted me liquid, moist, sucked, in any shape or form.

Want me, instead. Imagine, I know that's not your thing. You don't lust anything, you only please. That's your thing right? Please, give. You're the stud. You're the best. You're the devil. You tease me asking for nothing in return, just please me. And here am I going insane, wanting you all day long. You know what? I don't want this overwhelming desire. Enough. You don't deserve me. You'll lose me. I can't stand your dull presence. I hate you. I love you. Your smell, your color. Go on. Say goodbye to this short life. Finite time. Nobody will own you. Just me. You are mine. My hand touches your side. I close my eyes so the image does not escape. You don't resist. You melt in my mouth. Consummated pleasure. You're inside me. Forever. Tomorrow is another day. Tomorrow is still to come. And a thousand fillings, leaves, and a thousand nights of pure imagination.

RECIPES

HONEY NUT FINGERS

SYRUP	ROLLS
¾ cup honey	7 oz. walnuts roasted and coarsely chopped
1½ cups water	6 oz. almonds roasted and coarsely chopped
2½ cups sugar	5 oz. pistachio nuts roasted and chopped
Peel and juice of 2 oranges	6 sheets of filo pastry 11 x 8 inches
1 cinnamon stick	Melted butter
	2 eggs, beaten with a little water for brushing
	Plain yogurt to serve

Syrup: in a medium pan bring all ingredients to boil until light syrup (will be done when it starts to shine). Stir and let it cool.
Rolls: mix nuts and divide into 12 portions. Open one sheet of filo pastry, brush it with the butter and egg. Cut in two halves of 8" x 11" each. Spread a portion of nuts over one half, leaving an inch of the bottom edge clean. Roll the pastry to form a tight cylinder, like a canoli, brushing it with butter and the egg mixture as you roll. Seal it well. Brush each roll with more butter and egg and place on a slab pan (with a silicon plaque) or on a regular pan greased and covered with greased parchment paper. Repeat the rolls until all filling is used.
Bake in a preheated oven (350°F) for 5 minutes, lower heat to 320°F and bake until it gets a golden color. Cut the rolls in 8 cm slices. Carefully place them in the syrup and leave overnight in room temperature – do not refrigerate. Serve with yogurt. **Makes 8 servings.**

MARROM-GLACÉ SPRING ROLLS

500 g chestnuts
2 cups water
2 cups brown sugar
2 tablespoons vanilla extract
2 cinnamon sticks
1 liquorice piece
8 sheets spring roll pastry
1 beaten egg
Frying oil
Ice cream to serve

Cook the chestnuts for about 10 minutes in a pan with enough water to cover them. Keeping chestnuts in warm water, peel the outside skin of each one. If necessary heat the water again to keep it warm.
With a knife, peel the thinner inside skin as well. Boil them again until soft.
In another saucepan, bring to a boil 2 cups of water, brown sugar, vanilla, cinnamon and the star anise. Simmer until it becomes light syrup (it starts to shine). Add the chestnut, simmer for another 5 minutes, remove from heat and let them soak in the syrup from one day to the other. Puree chestnuts in a food processor with a little syrup until creamy.
Cut the pastry sheets diagonally forming two triangles.
Place 1 tablespoon of the chestnut puree on each pastry triangle, spreading it to the larger side of the triangle. Brush the pastry edges with the beaten egg, roll and seal.
Fry the rolls in oil just about serving time. Serve them with your choice of ice cream. **Makes 6 servings.**

MILLE-FEUILLES FILLED WITH DULCE DE LECHE AND VANILLA SORBET

1 filo dough roll
1 cup confectioners sugar
4 quarts vanilla ice cream
2 cups dulce de leche
½ fresh heavy cream
1 tablespoon vanilla extract
1 teaspoon cinnamon

Cut dough in four 11" x 4" rectangles. Punch each dough surface with a fork a few times, and dust with confectioners' sugar.
In a preheated oven (350ºF) bake in flat cookie sheet placing another baking pan over pastry to weight it down flat.
Bake for about 20 min or until dry and golden. Cool.
Stack the pastry rectangles with ice cream, ending with pastry; and freeze for one hour until frozen.
Meanwhile, mix the dulce de leche, cream, vanilla and cinnamon. Save aside.
To serve: remove mille-feulles from freezer and cover with the dulce de leche cream. Garnish with the fruit of your choice.
Makes 6 servings.

MILLE-FEUILLES WITH FIGS AND SPICED CUSTARD

CUSTARD	PASTRY
2 cups milk	6 sheets filo dough 11 x 15 inches
1 tablespoon butter	3½ oz. melted butter
½ cup sugar	1 cup of sugar
2 tablespoons honey	1 teaspoon cinnamon
½ teaspoon fennel	8 figs cut in 8
2 sticks cinnamon	Confectioners' sugar
1 tablespoon grated ginger	
4 star anise	
4 egg yolks, strained	
1½ tablespoon cornstarch	

Custard: place milk, butter, ¼ cup of sugar, honey and spices in saucepan and bring to a boil. Strain.
Whisk egg yolks with remaining sugar and corn starch. Add the hot milk mixture, stir and return to low heat. Stir constantly until thick. Transfer to a bowl, cover with film and let it cool.
Pastry Brush one pastry sheet with butter, dust with sugar and cinnamon; cover with another filo layer, brush butter, sprinkle sugar, and stack a third sheet of filo. Set aside. Repeat this layering process with the other 3 sheets.
With a 2" round cookie cutter cut stacks in 8 circles. Place in between 2 silpats; or in two greased cookie sheets, lined with buttered waxed paper. Bake in preheated 335ºF oven for about 10 minutes or until golden. Let it cool.
Spread custard over a pastry disc, add fig bits, cover with another pastry disk, custard, figs, another pastry layer; and repeat until there's a 3-layer stack. Dust with sugar. **Makes 8 servings.**

BAKED BANANA ROLLS WITH TAPIOCA

TAPIOCA	ROLLS
½ cup tapioca	12 unpeeled bananas
½ cup water	6 sheets spring rolls
1 cup coconut milk	2 egg whites
2 cups milk	Oil for frying
1 can condensed milk	Grounded cinnamon to dust
1 stick cinnamon	

Tapioca: soak tapioca in water for 10 minutes. Pour in saucepan and bring to a boil. Over low heat, add coconut milk, milk, sweetened condensed milk and cinnamon. Simmer, stirring constantly until thick. Remove cinnamon stick.
Rolls: bake bananas in preheated oven (320ºF) for 30 minutes. Peel and roll each banana in a spring roll sheet. Seal edges with egg white. Fry rolls in hot oil.
Dust with cinnamon and serve immediately with the tapioca cream. **Makes 6 servings.**

MILLE-FEUILLES WITH TRUFFLED CHOCOLATE AND RAISINS IN RUM

PASTRY	FILLING
6 filo pastry sheets 11" x 15"	½ cup raisins
3½ oz. melted butter	1 tablespoon vanilla extract
1 cup sugar	½ cup rum
1 teaspoon cinnamon	1 cup bittersweet chocolate
	5 oz. milk chocolate
	1¼ fresh heavy cream
	Dash of salt
	Cocoa to dust

Pastry: brush one pastry sheet with butter and dust with sugar and cinnamon. Cover with another sheet, brush with butter again, dust with sugar again; and repeat layering all pastry sheets.
Using a 2-inch cookie cutter, cut the filo layers in 8 circles. Place in between 2 silpats; or in two greased cookie sheets, lined with buttered waxed paper. Bake in preheated 335ºF oven for about 10 minutes or until golden. Let it cool completely.
Filling: place raisins, vanilla and rum in a bowl and let it rest for 6 hours. Strain liquid completely. Reserve.
In saucepan, mix chocolates, cream, and salt. Slowly warm over low heat, stirring until it becomes a homogenized cream.
Add the raisins, mix well and let it cool for at least 2 hours.
Layer the pastry discs with 2 tablespoons of the chocolate filling shaped into quenelles. Use 3 layers and end with the chocolate filling. Dust the mille feuilles generously with cocoa powder. **Makes 6 servings.**

STRAWBERRY MILLE-FEUILLES

CUSTARD FILLING	PASTRY
2 cups milk	6 filo pastry sheets 11 x 15"
½ can condensed milk	3½ oz melted butter
1 tablespoon butter	1 cup sugar
½ cup sugar	1 teaspoon cinnamon
4 sifted egg yolks	36 sliced strawberries
2 tablespoons corn starch	Lemon peel to garnish
2 tablespoons flour	Confectioners' sugar

Filling: mix milk, condensed milk, butter and half the sugar in saucepan and bring to a boil. Set aside. In a separate bowl, beat egg yolks with cornstarch, flour and remaining sugar. Pour warm milk mixture into egg yolks bowl and mix well.
Simmer over low heat, stirring until it lightly thickens. Pour the custard into a bowl, cover with plastic film and let it cool completely.
Pastry: brush each of the 3 pastry sheets with melted butter and dust with sugar and cinnamon. Stack one on top of the other, brushing each one with butter and sprinkling sugar and cinnamon mix. Repeat with the other 3 sheets. Using a 2-inch cookie cutter, cut pastry in 18 circles.
Distribute pastry discs in between 2 silpats (silicone sheets) or on greased cookie sheets, lined with greased parchment paper; and bake in preheated oven (330°F) for about 10 minutes or until golden. Let cool. Build layers of discs, spreading custard filling and a few strawberries slices over each one. End with filo dough, cover with custard and garnish with strawberry slices in shape of a flower and decorate with orange peel and powdered sugar. **Makes 10 servings.**

xxxxxxxxxxxxxxxxxxxxxxxxxxxxxxxxxxxxxxxxxxxxxxxxxxxxxxxxxxxxxxxxxxxxxxxxxxxxxxxxxxxxxxxxxxxxxxxxxx

3. PUDDINGS

custard
a white-sugar page
a single one and nothing else
I put myself in writing
melting away as syrup
an empress

I mix spices and the alphabet
then I set aside
there is no art in words
all I want from them
is tenderness

look, a bare sheet
awaiting
to be read
used, taken
let the fingers do the walking

a page unfolds entirely
much drama
existentialist nothings
who came first: sugar or sweet?
source or inspiration?
I don't know its destiny

What if it suddenly ends here?
Like this.
Go on, page, and spill the text
Bewilder, mystify
Make up a lie
Blissful delights
Go on ahead of me

Show the way
To where sweetness lives
Reveal secrets
Go on make it rich
Sometimes life is dull

white glaze sheet
you were cold and pale
now you're free, moist
filled by the book around you

and for last
show me your soul
drop the cookie-cut
writing ways we know
blend it all in

one evidence remains
screams in disarray
has anyone done anything this way
we give you our best
end and means
mean pudding

RECIPES

COCONUT PANNA COTTA

PANNA COTTA	SAUCE
4½ gelatin sheets	5 seedless prunes cut in thin pieces
5 tablespoons water	1 cup water
1 can condensed milk	1½ cup sugar
1 can evaporated milk	4 tablespoons Cassis liqueur
7 oz. coconut milk	
6 tablespoons grated coconut	

Panna cotta: soak gelatin sheets in water until it softens. Squeeze to remove excess water and dissolve it in the microwave or double boiler over medium heat. In blender, mix condensed milk, evaporated milk and coconut milk. Add the gelatin. Prepare 6 individual cupcake pans by wetting them and spreading grated coconut on the bottom of each one. Fill up the pans with the cream and refrigerate for at least 12 hour.

Sauce: place all ingredients in saucepan and over low heat, bring to a boil, and cook for about 20 minutes. Prunes should not be dissolved. If the sauce becomes too thick, add a little water. Unmold the panna cotta and serve with prune sauce. **Makes 6 servings.**

CARLOTA'S SUGAR-APPLE CUSTARD PUDDING

PUDDING	SYRUP
5 gelatin envelopes	2 cups water
5 tablespoons water	3 cups sugar
1 can condensed milk	Scrapes of vanilla bean opened in the middle
2⅓ cups sugar-apple – pulp, mixed in a blender and strained	¼ cup lemon juice
3 sliced star fruit for garnish	½ teaspoon vanilla extract

Pudding: soak gelatin in water until soft; squeeze to remove excess water, and melt in double boiler over low heat or in microwave. Blend remaining ingredients; and in low speed add gelatin while blender still running. Pour mixture in 6 ramekins previously wet, or in a pudding mold. Leave in the refrigerator until firm.

Syrup: in a medium pot, bring water, sugar, vanilla scrapes and lemon juice to boil over medium heat. Reduce heat and keep boiling until it becomes light syrup (it starts to shine). Remove from heat and add the vanilla extract.

Invert ramekins on plate or unmold pudding and arrange a few star fruit slices around it to decorate. Serve with lime syrup. **Makes 6 servings.**

PANNA COTTA WITH FRESH RASPBERRY SAUCE

PANNA COTTA	SYRUP
5 unflavored gelatin sheets or 3 teaspoons of powdered gelatin	2 cups fresh raspberries
5 tablespoons water	½ cup sugar
1 can condensed milk	½ cup water
1 cup milk	1 tablespoon Cassis liqueur
1¼ cup fresh cream	Dash of salt
½ teaspoon vanilla	

Panna cotta: soak gelatin in water until soft; squeeze to remove excess water and melt in double boiler over low heat or in microwave. Blend remaining ingredients; and slowly add gelatin while blender still running. Pour this mixture in 8 individual ramekins previously rinsed in water and refrigerate until set.

Syrup: place all ingredients in a medium pan and simmer until fruit is totally cooked. Let it cool. Place ramekins on serving plates facing down, unmold the panna cotta, top with syrup and let run down sides. **Makes 8 servings.**

YOGURT CUSTARD

3 containers of plain yogurt (6 oz. each)
1½ can sweetened condensed milk
1 cup sugar
⅓ cup plus 3 tablespoons water

In a bowl, whisk together yogurt and condensed milk.
In small saucepan bring sugar and water to a boil, reduce heat and simmer until thin caramel syrup. Pour in 8-inch custard pan spreading a caramel coat all around. Pour yogurt cream mixture slowly in caramel-coated pan.
Bake the custard in a water bath, placing the pan inside another pan, which has been half filled with water. Bake in preheated oven (320°F) for about 40 minutes or until firm. Let it cool and refrigerate.
To unmold, warm up the pan all around before inverting on serving dish. **Makes 6 servings.**

DULCE DE LECHE CUSTARD

⅔ cups sugar
⅓ cup water
3 cups creamy dulce de leche
1 cup milk
7 sifted egg yolks

In a small, heavy saucepan over medium-low heat, cook sugar, stirring until it melts. Add water and mix until light syrup.
Pour onto 6 individual baking pans tilting them to coat bottom and sides of the pans.
In another pan cook the dulce de leche and milk over medium heat, stirring constantly until it boils.
Place egg yolks in a bowl and slowly add the milk mixture, mixing constantly to avoid curdling. Return the mixture to pan and cook over low heat for about 2 minutes, stirring constantly – don't let it boil.
Sift the custard and pour into the 6 prepared baking pans. Bake in a water bath in a preheated oven (300°F) for 45 minutes.
Let it cool and keep in refrigerator until serving. **Makes 6 servings.**

MILK CUSTARD PUDDING

1 can sweetened condensed milk
2 measured cans of milk
4 eggs
¼ teaspoon orange peel
1 cup sugar
⅓ cup plus 3 tablespoons water

Place condensed milk, milk, eggs and orange peel in a bowl, and whisk well.
Melt sugar with water over low heat and boil it until it becomes caramel colored syrup. Coat bottom and sides of an 8-inch custard pudding pan with this syrup.
Pour mixture over the caramel and place it in a baking pan, half filled with water. Bake in a preheated oven (320°F) for 40 minutes until firm.
Let it cool, then refrigerate until completely cold.
To unmold, warm the pan a bit over medium flame. Then place serving dish on top, and flip pan onto the dish. **Makes 6 servings.**

4. BRÛLÉES

PMS

Woman: It's hot in here, no?

Man: I don't understand you, people.

Woman: You people?

Man: You women. Your temperature is always off.

Woman: I hate it when you talk like this.

Man: What are we drinking?

Woman: Wine?

Man: Waiter!

Woman: I was thinking…

Man: …this Chilean here….

Woman: …

Man: Hummm. They have great pastries here!

Woman: …

Man: What's with the silence now?

Woman: You never pay attention to me.

Man: Sorry. What did you say?

Woman: Never mind.

Man: We came here to eat! Are we starting a fight?

Woman: Dinner is not only food, Flávio Alberto.

Man: There. You're acting just like my mother

Woman: I'm not your mother! I know how to cook.

Man: Can we leave my mother's awful food out of this?

Woman: That's why you married me right?

Man: Right. Especially because of your crème brûlée. Yummm.

Woman: I knew it. You married a mother. Who cooks!

Man: But we didn't even have kids.

Woman: Don't play stupid on me!

Man: Easy tiger. Should we order a pastry?

Woman: Shrimp or hearts of palm?

Man: Shrimp!

Woman: See?

Man: What did I do now Denise?

Woman: I can't eat shrimp!

Man: Oh, I forgot. Hearts of palm then!

Woman: You never think about me.

Man: Waiter, can we order please? Can we have an order of the puff pastries? With hearts of palm because my adoring wifey here can't eat shrimp …

Woman: You are being sarcastic.

Man: I don't want any Shrimp Trauma because of my mother….

Woman: I've never seen a mother in law who can't cook.

Man: And what about yours? She burns custards.

Woman: Don't talk about my mother! That was an accident.

Man: Right.

Woman: …

Man: Ok, time out.

Woman: It's really hot, isn't it?

Man: I had an idea.

Woman: What?

Man: Let's go straight to dessert!

Woman: Would you do that for me?

Man: Of course, sweetheart.

Woman: You're the best.

Man: Waiter, can we have two papaya brûlées please?

Woman: I love the brûlées at this place.

Man: Yours is great too.

Woman: You're so kind.

Man: You're beautiful.

Woman: I can't wait to get out of here and make out with you.

Man: Great idea. Are you done?

Woman: I wish this dessert would never end…

Man: Check, please!

Woman: I'll get this one.

Man: What? My woman doesn't pay.

Woman: Your woman? What do you mean your woman?

Man: Yeah, mine.

Woman: You don't own me.

Man: I own your bill.

Woman: Pig.

Man: Don't start…

Woman: It's really hot in here, isn't it?

Man: …

RECIPES

PAPAYA BRÛLÉE WITH RASPBERRIES

JAM
2 cups raspberry (fresh or frozen)
1 cup sugar
1 tablespoon lemon juice
1/3 cup Cassis liqueur

BRÛLÉE
3 medium papayas
6 scoops vanilla ice cream
1/2 cup sugar to dust

Jam: place all ingredients in a pan and cook over medium heat, until raspberries are about to come apart. Reserve.
Brûlée: peel and seed the papayas. Blend with ice cream until creamy.
Place 2 tablespoons of the raspberry jam on bottom of each plate and fill with papaya cream. Dust with sugar and caramelize it with torch. **Makes 6 servings.**

CREAMY AVOCADO BRÛLÉE

2 ripe avocados
1 cup sweetened condensed milk
1/2 teaspoon vanilla extract
1 cup sugar for dusting

Peel avocados, discard seed, and blend with condensed milk and vanilla until creamy.
Place cream in 6 individual brûlée plates, dust well with sugar and caramelize with a blowtorch or under a broiler. **Makes 6 servings.**

CLASSIC CRÈME BRÛLÉE

2 cups fresh cream
1/3 cup sugar
4 strained egg yolks
1 teaspoon vanilla
1 tablespoon brandy
6 tablespoon granulated sugar

In medium pan, bring cream and sugar almost to a boil. Beat egg yolks, vanilla and brandy in a bowl. Add the cream mixture and mix well. Place cheesecloth on a large strainer and strain the crème carefully. Pour in 6 individual pans, and the pans in a baking sheet half filled with water. Bake in water bath in preheated oven (300ºF) for about 30 minutes. Borders should be firm, while the center still soft. Let them cool, then refrigerate.
At serving time, cover each serving with a tablespoon of sugar and glaze with torch. You may also use a broiler, watching carefully until sugar melts. **Makes 6 servings.**

LEMON GRASS CRÈME BRÛLÉE

2 cups fresh heavy cream
1/3 cup sugar
1 cup lemon grass stems, diced
4 sifted egg yolks
1 tablespoon Cognac or brandy
6 tablespoons granulated sugar to dust

Over low heat, bring cream and sugar to a boil. Turn off the heat, cover the pan and keep it covered for 10 minutes. Strain and set aside. Beat egg yolks with brandy in a bowl. Add the hot mixture and blend well.
Place cheesecloth on a large sieve and strain the cream into 6 individual baking dishes. Place them in a baking sheet half filled with water. Bake in water bath in preheated oven (300°F) for about 30 minutes or until the borders are firm but center still soft. Chill and when ready to serve, cover each dish with a tablespoon of granulated sugar, caramelize sugar with a torch or under a broiler, watching sugar carefully not to burn. **Makes 6 servings.**

RICE PUDDING BRÛLÉE

¾ white rice
2 cups milk
½ sweetened condensed milk
½ cinnamon stick
Lemon peel
¾ cups sugar
2 oz. white chocolate melted in 3 tablespoons of milk

Cook rice in water until soft. Once cooked, drain any left water; and in the same cooking pan, add all other ingredients. Cook over low heat and let the liquid reduce until a smooth cream. Distribute in 6 individual brûlée dishes; dust with granulated sugar and caramelize with torch. **Makes 6 servings.**

xxxxxxxxxxxxxxxxxxxxxxxxxxxxxxxxxxxxxxxxxxxxxxxxxxxxxxxxxxxxxxxxxxxxxxxxxxxxxxxxxxxxxxxxxxxxxxx

5. CAKES

THE BRIDE AND HER CAKE

I'm going to eat this wonderful slice of cake, filled with this yummy sweet egg jelly and nuts, just to forget your mother's face during the ceremony, cynically smiling under that ridiculous hat. And will lick this fabulous meringue frosting again because of my Manolo's broken heel – that I hope it is still stuck in that idiot you chose as your best man's forehead.

Yummmm... and another biiiig slice for the veil... my grandmother's Italian lace veil, probably still floating in that ridiculous fountain. You were the one who wanted a church with a pond and a fountain! My mother warned me: "Don't bake your own cake, sweetie; it jinxes it". And another slurp of meringue! And another one, and one more! One for the fresh white camellia arrangement that ended up on the fat feet of your chubby sister! Damn it. How could a pastry-chef not bake her own wedding cake? I bake wedding cakes for every bride in this town. It's not fair! I bake them every single day: coconut with nuts or dates? Fluffy meringue or fondant? Garnished? I never thought that in my own... and more meringue! This meringue is amazing, delicious.... Heavenly white. Just like my dress was. Yes, because now it is just a rag. Wasn't it only the dress that the groom couldn't see ahead of time? And the bride has arrived, all dressed in white... meringue... This is where I should stay, right here, sitting on the floor with cake on my dress - so I'll never forget. Mascara running down my cheeks, lipstick all over, my hair all messed up, stiff with hairspray and meringue. I hate hairspray. The bride was dressed in cake and hair styled with meringue hairspray. HA. I'm going crazy. The blown off bride. Sounds like a tacky book title. HA. HA. HA. The pastry chef who hooked up with the cake. HA. Come here, Wedding Cake, come here so I can lick off the sugar all at once. Sink my face in it until I drown. Did she die? Poor thing.... Killed by a cake? HA HA HA...

"Where am I?"
"ICU, 20 pounds of cake later...."
"Lame."
"The cake?"
"No, the scene...."
"Stood up?"
"Yeah."
"Ouch!"
"It's OK"
"I was the one who took care of you."
"You seem nice. Do you always come here?"
"I'm in residency."
"Cool."
...

"Love?"
"What?"
"Nuts or dates?"
"Whatever you say."
"Ok."
"And can we have a church with a pond and a fountain?"
"Yes."
"Are you sure?"
"I'm going to make the cake, so we can have the pond."
"You're right."
"Do you remember what we said?"
"One cake is different from the other always."
"That's right."
"I love you."
"I love you too."

RECIPES

SPONGE CAKE

6 eggs
Dash of salt
6 tablespoons of sugar
6 tablespoons of flour
1 teaspoon vanilla extract
Butter for greasing

Stir eggs, salt and sugar in double boiler and cook over low heat, stirring constantly until lightly warm. Place mix in a bowl and beat at high speed with electric mixer until 3 times its volume.
Lower speed and gently add flour, one tablespoon at a time. Add vanilla.
Grease an 8-inch round cake pan, line with wax paper, butter the paper and add the batter.
Bake in a moderate oven (320°F) for about 45 minutes or until testing toothpick comes out clean.
Let it cool in pan. Unmold the cake and use a filling of your choice. **Makes 8 servings.**

TAPIOCA CAKE

6 eggs
1 cup butter
2 cups sugar
1 cup milk
2 cups coconut milk
½ cup dry grated coconut
3 cups tapioca
1 tablespoon baking powder
Butter for greasing, and flour to dust
½ can sweetened condensed milk to sprinkle

In a large bowl beat egg whites until firm. Set aside.
In another bowl cream butter and sugar until it whitens. Add the egg yolks, milk, coconut milk and grated coconut. Beat a little longer; and add the tapioca until it blends in. Add the baking powder and fold in the egg whites slowly.
Butter an 11-inch round pan and carefully spread batter. Bake in preheated oven (320°F) for about 30 minutes. Flip baking pan onto a dish when the cake warm and pour the condensed milk on top. **Makes 8 servings.**

DEVIL'S FOOD CAKE

1 cup butter
1⅔ cups brown sugar
2 beaten eggs
1 teaspoon vanilla essence
½ cup semi-sweet chocolate, melted in a double boiler
1⅓ cup flour
1 teaspoon baking powder
1 cup boiling water
Butter for greasing, flour to dust baking pan

In electric mixer, cream butter and sugar. Add eggs, vanilla and melted chocolate and beat a little longer.
In a separate bowl mix flour with baking powder and add to the chocolate cream, alternating with water.
Butter and flour an 8-inch square pan. Place batter evenly in the pan and bake in preheated oven (325°F) for 10 minutes.
Lower the temperature to (300°F) and continue baking for another 25 minutes or until testing with a toothpick in the center and it comes out clean. Cool completely before removing from pan. **Makes 6 servings.**

BLACK FOREST

CAKE
2½ cups semi-sweet chocolate
1 oz. butter
8 eggs
3½ cups sugar
3½ cups flour
Dash of salt
1 teaspoon baking powder
½ cup walnuts ground
Butter for greasing
Flour to dust and coat
2 beaten eggs to coat
Breadcrumbs mixed with chocolate powder and confectioners' sugar to coat
Oil and butter for frying
Vanilla ice cream
Cocoa to dust

BRITTLE SAUCE
2 cups milk
1 cup fresh cream
¼ cup sugar
¼ cup brown sugar
8 strained egg yolks
2 tablespoons molasses
Brown sugar brittle

Melt chocolate and butter in saucepan. Beat sugar and eggs with electric blender until mixture doubles in volume.
Lower the speed and add flour slowly. Carefully blend in melted chocolate, salt, baking powder and walnuts.
Butter a baking pan (11" x 15"), dust with flour, and spread the batter evenly.
Bake in preheated oven (325°F) for 15 minutes. Let it cool completely and cut in 2 inch squares. Refrigerate until very cold.
Dip cold squares in flour, then in eggs (slightly beaten), and finally in the breadcrumb, chocolate, and powdered sugar mixture.
Fry them in a little oil and butter until crispy.
To serve, cover cake with brittle sauce (page 137) and a scoop of vanilla ice cream on top. Dust with powdered chocolate.
Makes 12 servings.

MARBLE CAKE

4 eggs separated
Dash of salt
1½ sugar
1 cup milk
½ cup butter at room temperature
2 cups flour
1 tablespoon baking powder
½ teaspoon vanilla extract
2 tablespoons chocolate powder
Butter for greasing
Flour to dust

Beat egg whites in electric mixer with salt until very stiff. Continue beating in low speed; add egg yolks, one at a time, sugar, milk and the soft butter last. Continue beating just until all mixed.
Add the flour with baking powder, and mix gently by hand.
Split the batter in two. Add vanilla extract to one part and the chocolate powder to the other.
Butter and dust with flour a 10 x 6 inch cake pan, add the white batter on bottom and the dark batter on top.
Do not mix – they will mix naturally.
Bake in a preheated oven at 320°F, for about 30 minutes or until testing with a toothpick and it comes out clean and dry.
Remove from oven and unmold after cold. 8 servings. **Makes 8 servings.**

SWISS ALMOND AND CARROT CAKE WITH APRICOT

BATTER	TOPPING
6 eggs separated	*½ egg white*
1½ cup sugar	*1½ cup confectioners' sugar & confectioners' sugar to dust (optional)*
1 tablespoon lemon peel	*2 tablespoons lemon juice*
1 cup grated carrot	
Peeled and ground almonds	
4 tablespoons cornstarch or flour	
½ teaspoon ground cinnamon	
½ teaspoon ground cloves	
1 teaspoon baking powder	
Dash of salt	
2 tablespoons rum (optional)	
3 tablespoons apricot jam	
Butter for greasing, flour for dusting	

Batter: in an electric mixer, beat egg yolks with sugar and lemon peel until light and fluffy. Add carrots, almonds and mix well. Add cornstarch, cinnamon, baking powder and salt and mix carefully. Add rum or any other liqueur of your choice. Beat egg whites with electric mixer until stiff. Fold in cake batter. Butter and flour a 12-inch cake pan, pour in the batter evenly. Bake in a 325˚F oven for approximately 40 minutes. Remove from pan while still hot and spread apricot jam on top.
Topping: with electric mixer, beat ½ egg white slightly, add sugar and lemon juice. Spread over the apricot jam on cakes.
If preferred, just dust the cake with confectioners' sugar. **Makes 12 servings.**

6. TINY TREATS

THE VIRGIN CONFECTIONARY

I am devoted to God. I am a nun and I live in this convent since I was twelve years old. We work hard here everyday, doing our chores and a bit of everything. A few of us – that have other talents – dedicate ourselves to specific affairs. Very early on I realized that I belonged in the kitchen. And in the kitchen I learned our most important values: gratitude, humility, generosity... and pleasure. Cooking is one of the most sublime pleasures that a human is capable of. It's unconditional devotion.
I've always been devoted, but not a very tough one. Such as brown sugar brick, like sister Anna. Or a brittle rock bar, like mother Lucia. I'm more of the angel food type, a foamy coconut tart, a soft passion fruit cobbler. You know? Did I mention that I specialized in pastries and desserts? It wasn't always like this. My talent for sweets was triggered when one day a new sugar supplier came to our door. We wouldn't show ourselves to anyone. Our communication was done through a grill, and the deliveries and payments were done through a little window at the bottom of the door. I am saying this to make it clear that I really never saw him. I just heard his voice. And when you live among equals, when something seems different it sounds extremely dangerous. All it takes is to be something else: curiosity sneaks out through the soul. This was how it happened. We'd say 'good morning' every now and then; maybe 'have a nice day' at times. And my interest for sweets started to grow. I had never listened to such divine voice. In a few months I became one of the more productive nuns in the kitchen. I'd make pastries and sweets and confectionaries; and they were sold in all shapes and forms with wonderful names: heavenly lard, tiny toffee bricks, caramelized chocolate bonbons. My sweets became famous.
And sugar had to be delivered more than once a month; once a week; every five days; and even every three days. I decided he had to say a password whenever he arrived at the door.
I did it just to hear him say: "Olinda". That was the password. Since we are in Pernambuco, nobody suspected my intentions. I would spend days waiting to hear my supplier say "Olinda, olinda". Until this day I hear the flattering word from sweet voice. To deal with my forbidden thoughts, I'd like to knead flour, milk and eggs to a consistency that only I could do. Then I'd let it slide through my fingers. A blessing. Sugar was used in everything. Even in water, because that was the only way I found to keep myself, let's say, calm.
One day, just as he arrived, he disappeared. As to me, as if I had taken a new vow, I continued to make the most beautiful sweets and confections everyday of my life. Always. But time has come that I reveal the truth.
Keep my devoted recipes and this sincere confession as my penance to the sin of having loved that man's voice.
Until this day I never had one single sweet.
And my story does not end there. Since it's natural to end a meal with a treat; as my indulgence, I offer my heart, mind and soul to him. A grand finale. Forgive me Father for I have sinned; but I will eat him all.

RECIPES

COCONUT TINY EGGS

1 can sweetened condensed milk
1 tablespoon butter
1 cup grated fresh coconut
2 egg yolks
4 cloves
Dash of salt
1¼ cup egg threads to garnish

Mix all the ingredients in a pan and cook over low heat stirring with wooden spoon constantly until you see the bottom of the pan easily. Remove cloves. Let the batter cool completely. Once cold, separate a spoonful at a time and with both hands roll little balls of more or less (1 inch each).
Drop and roll them in sweet egg threads (fios de ovos) and let them dry for a few hours.
If desired, serve them in laminated paper cups. **Makes 10 servings.**

NEGRINHO MELADO (STICKY CHOCOLATE TREATS)

1 can sweetened condensed milk
1 tablespoon butter
2 tablespoons molasses
2 tablespoons powdered chocolate
Dash of salt
7 oz. chocolate sprinkles
Butter for greasing
Gold dust for dusting

Mix all the ingredients in a pan and cook over medium heat, stirring constantly with a wooden spoon until you can see the bottom of the pan completely. Turn into a greased bowl and let it cool.
With grease hands, roll sticky batter in little round shapes of any desired size, and drop them in a bowl of granulated chocolate. Coat them and place each one in laminated paper cups. Decorate with gold dust. **Makes 10 servings.**

CAMEOS

FONDANT	FILLING
¾ cup confectioners' sugar	3 cans condensed milk
1 tablespoon rum	⅔ cup walnuts, ground
2 tablespoons hot water	2 tablespoons sugar
	2 egg yolks
	Butter for greasing
	Whole walnuts to garnish

Fondant: mix all ingredients in a bowl and set aside.
Filling: mix all ingredients in a saucepan. Cook over medium heat mixing with a wooden spoon until it loosens from sides and bottom of the pan. Place in a deep dish and let it cool.
Roll the sweets into mini croquette shapes and coat them with the fondant. Let each one dry in waxed paper.
Place each on in a laminated paper form, and decorate each with half of one walnut. **Makes 20 servings.**

CUPUAÇU NESTS

PASTRY
1 can whole milk, powdered
2½ cups sugar
4 tablespoons powder chocolate
⅔ cups milk

FILLING
1 can condensed milk
2 egg yolks
½ cup cupuaçu pulp
1 tablespoon butter
Sugar to garnish

Pastry: in a bowl sift powdered milk with sugar and chocolate. Gradually add the regular milk, mixing well until it shapes into a ball. Cover the mix with a cloth and let it rest in room temperature for 15 minutes.
Filling: in a pan, cook all the ingredients together over low heat, mixing constantly until it separates completely from the bottom. Turn into a bowl and let it cool.
Roll separately both the pastry and the filling into 1-inch tiny balls. With finger, make a hole in the center of the pastry balls to fit the filling ball, as it were an egg in a nest.
Roll the sweets in the sugar and place them in laminated paper cups. **Makes 12 servings.**

INDIAN TINY TREATS

1 can sweetened condensed milk
2 egg yolks
2 tablespoons butter
¼ cup raisins, chopped
¼ cup dates, chopped
¼ cup walnuts, chopped
Dash of salt
30 dried apricots, medium size
Butter for greasing
Sugar to decorate

Place all the ingredients except dates in medium pan and cook over low heat, mixing constantly until it takes off of the bottom of the pan. Let it cool. Butterfly open the apricots in half without separating them. Grease your hands in butter and roll the milk mixture into 1" round shapes. Fill each apricot with the little round shapes, and close it tight, pressing both halves together. Roll in sugar, place in laminated paper cups. **Makes 10 servings or 10 sweets.**

TOUCINHO DO CÉU WITH PISTACHIO

2½ cup sugar
1 cup water
1 cup peeled almonds, slightly roasted, and ground
1 cup ground pistachios
1½ cups butter
18 strained egg yolks
½ teaspoon almond extract
Butter for greasing
Confectioners' sugar to dust

Mix sugar and water in saucepan, and bring to a boil in low heat. Without stirring, let it simmer until it becomes a shiny syrup. Remove from heat, add almonds, pistachios and butter, mixing them vigorously so as not to crystalize, then add egg yolk and mix well to avoid whittling.
Return the pan to low heat, add almond extract and mix constantly with wooden spoon until it takes off of the bottom of the pan. Grease a rectangular baking pan, cover it with wax paper, grease the paper and spread the sweet batter. Let it rest for about 30 minutes, then bake in a preheated oven (300°F) for approximately 20 minutes or until a fine film has formed.
Let it cool. To serve, cut in squares and dust with confectioners' sugar. **Makes 12 servings.**

CHOCOLATE BONBONS

BONBONS	SYRUPS
1½ cups bittersweet chocolate	1⅓ cup milk
1 cup butter	¾ cup fresh cream
2 eggs plus 6 egg yolks	½ cup plus 2 tablespoons sugar
½ teaspoon vanilla extract	8 egg yolks
1½ tablespoon sugar	2 tablespoons Frangelico liqueur
Dash of salt	½ cup frozen raspberries
Filo pastry	4 egg yolks
1 beaten egg for brushing	¾ cup sifted flour
Oil for greasing and frying	⅔ cup up sugar
	Butter for greasing

Bonbons: in a medium pan, melt chocolate and butter. Add eggs, egg yolks, vanilla, sugar and salt and whisk well. Wrap in plastic film and refrigerate for about 2 hours.
Roll batter into small ball shapes of approximately 1-inch, and refrigerate again. Cut the filo dough in 30 x 5-inch squares. Brush with beaten egg. Place one little chocolate ball on the one corner of each of the pastry square and roll it, wrapping them in pastry completely. If necessary, use more egg to tighten the pastry closed. Place the bonbons in a bowl greased with oil.
Syrup: in a pan, bring milk, cream and half the sugar to a boil. Whisk egg yolks with remaining sugar; and add the boiled milk, mixing constantly. Return mixture to cook in low heat, mixing until lightly thickens. Then divide this syrup in half.
Add liqueur to one half and raspberries to the other half, mixing this one with electric mixer. Distribute them in bowls to dip the bonbons.
To serve: fry in hot oil 3 bonbons at a time until golden. Pierce each bonbon with a 3-inch bamboo straw. Dip in the different syrups as desired. **Makes 10 servings.**

××

7. GÂTEAUX

THE KILLER LIL' CAKE

Restaurants make great crime scenes. At least in the movies. Have you noticed how every mob capo happens to die in a restaurant? Someone suddenly bursts in carrying a gun on one hand, a cigarette butt in the corner of his mouth; asks some silly question where the answer is irrelevant, and suddenly starts shooting in every direction. Bullets galore, shattered windows, the bottles popping glass all over, tablecloth and napkins covered in blood… I love it when the gunman leaves the place without a scratch; turns around in the best noir style, goes back in, and throws the butt on the floor, a few inches from spilled alcohol. Boom! And all blows up when he's already on the other side of the street, oblivious to mayhem behind him, walking away with a smirk smile on his lips. The badass attitude.
That's what I will do to her.
It all started when I was preparing an urgent order of chocolate mini-cakes, a specialty of mine I make for restaurants, that they serve with vanilla ice cream.
The key to every cake is the time and temperature of the oven. And for that order, baking time was thirty minutes. I set the timer, and went to take a shower.
I got distracted and forgot about the cakes in the oven. I went back to the kitchen and the timer was buzzing like crazy.
Gateau, my Siamese cat, was petrified beside the timer. I ran to rescue the cakes from the oven… I had no time to start over, because this client would be furious. The cakes were being served as main dessert in a luncheon for an important executive. She'd pick them up right before serving, since her restaurant is right in front of my kitchen. I couldn't lose the order, nor damage my reputation.
I put the baking sheet on the counter and, to my surprise, realized that the cakes were not burnt. They actually had an interesting appearance. I stuck a toothpick in one of them; and a warm yummy chocolate filling started to flow from the inside.
I concluded that this mishap could only have been caused by Gateau, the cat. While I was in the shower, he started playing with the timer, and probably pressed a button that made the alarm go off. The mini-cakes were not over done…. They were actually under cooked at least in 15 minutes! Now what!?
The doorbell rang. Very lightheartedly, I tried to explain that the mini-cakes were a little different than normal, but equally delicious; and we could call them gateaux, after the cat. She looked at me with deep disdain: "This is not a dessert, this is a disaster. You're not a pattisseur, you just… killed it".

"I'll come up with something at the restaurant to save this thing", she said. And left slamming the door behind her, and without paying. Months went by; and I lost many orders. One day I come across in the newspaper:
"Restauranteur reveals how she created the hit dessert of the moment. The petit gateau".
The recipe was spread throughout the world with instant success. And the mugger got rich. "You're not a pattisseur, you just ...killed it."
Now this, yes, was really her idea.

RECIPES

WARM AND CREAMY BANANA CAKE

2½ creamy bananada (banana preserves)
1 cup butter
4 eggs
4 egg yolks
½ cup plus 2 tablespoons sugar
½ cup sifted flour
Butter for greasing
Ice cream

Melt the banana preserves with butter in the microwave or in a double boiler.
In a bowl, whisk together melted banana, eggs, and egg yolks. Add the sugar and flour. Mix well until it becomes a homogeneous batter.
Grease 10 individual cupcake pans and distribute the batter. Bake in a preheated oven (400°F) for 8 minutes.
Serve warm, with your preferred ice cream. **Makes 10 servings.**

GUAVA PETIT GÂTEAUX

2½ creamy guava preserves or guava paste
1 cup butter
4 eggs
4 egg yolks
½ cup plus 2 tablespoons sugar
½ cup sifted flour
½ cup finally grated parmesan cheese
Butter for greasing
Vanilla ice cream

Melt guava with butter in a double boiler. Add eggs and egg yolks and whisk well. Add sugar and beat a little more.
Blend in flour and parmesan cheese. Mix well.
In 10 greased individual cupcake pans, distribute the batter and bake in a preheated oven (400°F) for 8 minutes. Serve warm with vanilla ice cream. **Makes 10 servings.**

PORTUGUESE CHEESE PETIT GÂTEAUX

PETIT GÂTEAU
2 cups sheep cheese (Queijo da Serra da Estrela, Portuguese sheep's cheese)
¾ cup cream cheese
½ cup grated parmesan cheese
7 oz. butter
4 eggs
4 egg yolks
½ cup sifted flour
½ cup plus 2 tablespoons sugar
Butter for greasing

CARAMEL SYRUP
1 cup Port wine
1 cup sugar
Zest of one vanilla bean, opened in the middle

Gâteaux: melt cheeses and butter in double boiler, mixing well. Add eggs and egg yolks. Mix thoroughly. Add flour and sugar for last, and mix until homogeneous dough.
Wrap in plastic film and let it rest in refrigerator for one hour.
Syrup: boil all ingredients over low heat for 10 minutes until forming a light syrup and starts to shine.
In greased, individual cupcake pans, distribute the batter, but not filling each pan completely. Bake in preheated oven (420°F) for about 10 minutes. Unmold and serve with Port Wine Syrup. **Makes 6 servings.**

CHOCOLATE PETIT GÂTEAUX

1½ cup bittersweet chocolate
1 cup butter
4 eggs plus 4 egg yolks
½ cup plus 2 tablespoons sugar
½ cup sifted flour
Butter for greasing
Vanilla ice cream

Melt chocolate and butter in microwave or over low heat.
Place it in a bowl with eggs, egg yolks and whisk well (don't beat, use hand whisk or fouet).
Add sugar, flour, and mix well.
Distribute batter in greased 10 individual cupcake pans. Bake in a preheated oven (400°F) for 8 minutes.
Serve warm with vanilla ice cream. **Makes 10 servings.**

COCONUT GÂTEAUX

2 cups of toast coconut caramel
¾ cup butter
3 eggs plus 3 egg yolks
½ cup sugar
½ cup sifted flour
Butter for greasing
Ice cream

Melt coconut caramel and butter in microwave or over low heat. Place in bowl and add eggs and egg yolks. Mix well without beating – use hand whisk or a fouet. Add sugar, flour and mix well until it turns into a homogeneous batter.
Distribute batter in 8 greased individual ramekins. Bake in preheated oven (400°F) oven for 8 minutes.
Serve warm with ice cream, any flavor. **Makes 8 servings.**

CARLOTA'S DULCE DE LECHE PETIT GÂTEAUX

1 cup creamy dulce de leche
7 oz. butter
2 eggs
2 egg yolks
¼ cup sugar
¼ cup sifted flour
Butter for greasing
Vanilla ice cream

Melt dulce de leche with butter in microwave or over medium heat. Place it in a bowl and whisk with eggs and egg yolks.
Add sugar, add flour and continue mixing until homogeneous.
Distribute batter into 6 individual greased cupcake pans and bake in a preheated oven (400°F) for 8 minutes.
Serve warm with vanilla ice cream. **Makes 6 servings.**

FIG PRESERVES PETIT GÂTEAUX

14 oz. creamy fig preserves
7 oz. butter
4 eggs plus 4 egg yolks
½ cup plus 2 tablespoons sugar
½ teaspoon ground cloves
½ cup sifted flour
Butter for greasing

Melt fig preserves with butter in a microwave or over medium heat.
Remove from heat. Whisk with eggs and yolks.
Add sugar, cloves and flour and mix until homogeneous.
Distribute the batter into 10 individual, greased cupcake pans and bake in preheated oven (400°F) for 8 minutes.
Serve warm with ice cream, any flavor. **Makes 10 servings.**

* * *

8. SOUFFLÉS

PHONE RINGS
Answering machine: Hi, you've reached Juliet. I can't come to the phone right now. Leave me your name and number, and I'll call you as soon as I can. Thanks. beeeeeeeeep.
Voice: Hi Julie, it's Romeo. So I didn't die OK? I'm fine. I'm calling just to give you an explanation. I saw you in a newspaper. I heard you got married, had a child, all that. So I thought it was OK to call you. You know, everything that happened had nothing to do with you OK? You're great. It was really too much pressure. Well, it's Romeo and Juliet… Really? We were born to each other, no? Everyone believed. And that was the problem. I dot the lines when you came up with the dessert for our wedding party. Guava soufflé and cheese…
The perfect dessert for the perfect couple. Romeo and Juliet, the fairy tale wedding. That was too much for me. I couldn't take it. I'm the problem. I don't deserve you. You're super smart, nice, bake like a queen. I know you'll understand. The fact that we didn't have sex has nothing to do with you. I didn't want to go that far, wedding date, church with a lake and fountain, you baking the cake. I didn't know how to tell you. I was a coward, I know. You'll hate me forever, fine. But you know what? I have to come clean. I met someone. A week before our wedding date. It wasn't my fault. It just happened. Remember that night I left to go buy cigarettes and came back in the morning? You were angry, and I said the car had broken down. Well, yeah. All I found open was a gas station way east. They had no cigarettes. But there was him. He had a strong tattooed arm. And he offered me a smoke. We started talking and we talked until the morning. It was crazy. And in the midst of that fuel smell, we fell for each other. He told me he was traveling a week later, would try a new life as a dancer in a club in Shanghai. That's when I realized that was the life I wanted for me. I'm sorry, Jules. I know you didn't deserve this, but now I feel better because you're over it, you got married, and you're happy too. And how are the cakes? Do you have a lot of orders? It rains a lot here in Shanghai, and people spit on the floor. Gross. The food, well, it sucks. I almost had a fit the other day. They offered me monkey for dinner! Can you imagine? Well, Ernie and I get along well. I had two tattoos done… One is a tribal bird, the other, a huge heart with mom's name. You'd hate them, I am sure. I have to hang up or it's going to cost a fortune. That's it, Jules. I'm really sorry, OK? I didn't want you to think I was a jerk for the rest of your life. One day, maybe, if you and your family come to Shanghai, look for me in a club called Eros, close to the port. Everyone knows me around there. Jules, you know, I dream every day with that guava soufflé and cheese. I know it's the dessert of the perfect couple, like you said. That I don't even deserve it, but… listen, if one of these days you get inspired and want to create one thinking of me… can you make it cheese and cheese? It would be perfect. Kisses Jules.

RECIPES

'BANANADA' SOUFFLÉ

SOUFFLÉ	SAUCE *(see page 121)*
5 eggs whites	1 lb cream cheese
Dash of salt	1⅓ cup milk
3 cups creamy banana preserves	
3 tablespoons brown sugar	
½ teaspoon ground cinnamon	
Mixed sugar and cinnamon to dust	

Soufflé: beat egg whites with a dash of salt until very firm, and they hold soft peaks. Very carefully, fold in banana preserves ('bananada'), sugar, and cinnamon, until forming a batter.
Distribute in 10 individual ramekins; and pre-bake them by placing soufflés on lightly warmed surface for 30 minutes.
In preheated oven (400°F) bake for 10 minutes or until puffy and top is golden brown. Dust with sugar and cinnamon, and serve immediately with the cream cheese sauce.
Cream Cheese sauce: in a double boiler melt cream cheese with milk, and mix well. Serve immediately. **Makes 10 servings.**

FROZEN STRAWBERRY SOUFFLÉ

2 cups clean strawberries
1 tablespoon unflavored powder gelatin
1 cup fresh cream, chilled
1 cup sugar
⅔ cup water
4 egg whites at room temperature
Dash of salt
2 tablespoons powder chocolate to dust
8 tablespoons strawberry jam to decorate

Puree strawberries in food processor and press through fine sieve.
Dust the gelatin over the strawberries; let it hydrate for 5 minutes, then warm puree in double boiler until gelatin dissolves. Set aside.
Beat chilled cream in the electric mixer until it holds stiff peaks. Set aside.
Place sugar and water in a pan and boil over medium heat until it turns into thick syrup. You can verify if it has the right consistency by dripping a teaspoon of the syrup in a bowl with cold water. If it's soft and doesn't cling between two fingers, it's perfect.
Separately, beat egg white with salt to very stiff meringue. Add the syrup slowly while still beating.
Divide strawberry puree in two, adding meringue to one half, and cream to the other half. Carefully mix both together, and reserve.
Cut 8 strips (2-inch) of parchment paper and form collars around edge of each of 8 ramekins, and tape or tie in place.
Ladle the soufflé in ramekins and freeze for 5 hours.
At serving time, remove paper, and dust the soufflés with cocoa or garnish with a little strawberry jam. **Makes 8 servings.**

CARLOTA'S GUAVA SOUFFLÉ WITH CREAM CHEESE SAUCE

SOUFFLÉ	CREAM CHEESE SAUCE
8 egg whites	2 cups cream cheese
Dash of salt	1⅓ cup of milk
2 cups creamy guava preserves	

Soufflé: in electric mixer, beat egg whites and salt until firm meringue. With hand whisk or fouet fold in guava preserves very carefully, until batter is well mixed. If you prefer using the hard type guava preserves ('goiabada'), first cut in small pieces, then melt in water over medium heat, stirring constantly until pasty consistency.
Distribute mix in 6 individual ramekins and bake in preheated oven (400°F) for 8 minutes or until the surfaces puff and turn golden brown.
Cream Cheese Sauce: melt cream cheese with milk in double boiler. Mix well and serve soufflé immediately with sauce on the side.
Makes 6 servings.

QUINCE SOUFFLÉ

6 egg whites
dash of salt
3 cups creamy quince paste
Confectioners' sugar to dust
8 slices of soft white cheese to serve

Beat egg whites and salt until very firm, with stiff peaks.
Gently fold in quince paste. Whisk slowly but well, until it forms a homogenous batter.
Pour batter into 8 ramekins and place them on lightly warmed surface for about 30 minutes to pre-bake. In preheated oven (400°F), bake soufflés for 8 minutes or until top puffs and is golden brown.
Serve immediately, dusted with confectioners' sugar and accompanied with slice of white cheese. **Makes 8 servings.**

CHOCOLATE SOUFFLÉ

2 tablespoons butter
3 tablespoons flour
¾ cup milk
½ cup bittersweet chocolate, diced
4 beaten egg yolks
4 egg whites
¼ cup sugar
½ vanilla extract
Ice cream and hot fudge

Melt butter in low heat. Add flour, mix well, and cook for 5 minutes. Add milk, whisk well not to lump. Remove from heat.
Add chocolate, and then egg yolks. Mix well.
In separate bowl, beat egg whites with sugar until stiff peaks are formed. Fold whites into chocolate mix, leaving vanilla for last.
Let cool for 20 minutes.
Pour mix in 8 x 3" ramekins, leaving an inch from the top.
Bake in preheated oven (400°F) for 12 minutes, or until golden.
Serve immediately with ice cream and hot fudge. **Makes 8 servings.**

x x x x x x x x x x x x x x x x x x x x x x x x x x x x x x x x x x x x x x x x x x x x x x x x x x x x x x x x x x x x x x x x x x x x x x x x x x x x x x

9. FROZEN DESSERTS

ALICE BELOW ZERO

Alice Wonder is a pastry chef who was born way ahead of time. She was suppose to arrive under the sign of Pisces, but thought Aquarius was more her style. Decisive, quick-witted, with grown-up rush and childlike joy, at only twenty-one, Alice is the only Brazilian pastry chef to have a dessert chosen by the Association Internationale de Grands Chefs de Cuisine (AIGCC) as one of the best in the world.
Alice lives in Switzerland with her boyfriend, celebrity Dutch designer Patrick van Bohrer. From there she gave Us this exclusive interview:

Us: Were you always precocious?
Alice: What are you talking about? With all I have to learn, I am behind!
Us: You resemble the rabbit more than you do resemble Alice…
Alice: (laughs) True. I identify with him. I'm in a rush.
Us: Why?
Alice: To conquer the world. Decipher the maze. Understand the psychedelic kaleidoscope.
Us: How does it feel to be the youngest Brazilian chef to receive an award like this?
Alice: Tastes like toasted coconut, tapioca and a sweet egg custard like baba de moça. In other words, it's such a wonderful feeling that you can only experience if you were born in brazil.

Us: But chefs from the whole world apparently experienced it too.

Alice: The colors and flavors of Brazil have never been in such uptrend. I'm not the content, I am just form. I serve the wealth of ingredients that only Brazil has.

Us: How did you start your career?

Alice: I was practically born inside a kitchen. My grandmother and my mother are excellent cooks. When I was six, I invited a friend from school to play with my toy pots and pans. When she got to the house, I showed her our Le Creuset collection and she was shocked.

Us: What's your background?

Alice: When I finished school I went straight to New York. There I studied at The Kitchen Cool and did my internship in a few bars and restaurants. I loved school, but the best was living in the city. Walking through New York City is a learning experience by itself. Smells, flavors, textures…they are all there. All you have to do is learn how to see and feel them. It was there that I realized I had to look inside me, to my country, to my cultural and affective influences, to fulfill my formation. I returned to Brazil and worked as chef pâtissier at Confeitaria do Carmo, famous for their amazing sweets. I learned a lot there too.

Us: So you enjoy living in Europe?

Alice: Well, you know the rabbit? I'm dying to go to China and India. Europe is interesting, but it seems like everything is ready for years. I want to experience new things.

Us: You are well known for your frozen desserts and ice creams. Any special reason why?

Alice: When I arrived in Switzerland it was the coldest winter in 10 years. It snowed a lot. So I kept these images of everything white, below zero, subconsciously. My desserts are a direct result of this experience, of living through these winters with a vivid imagination of the sensuality that only Brazilian summers have.

Us: You are beautiful, do you know that?

Alice: What? Oh no, are you going to ask me if I am doing a nude centerfold?

Us: Why? Are you?

Alice: (laughing) No, I'm cooking… I mean… oh, forget it.

RECIPES

CARLOTA'S SUNDAE

BABA DE MOÇA

2 cups water

1½ cup sugar

4 cloves

1 tablespoon butter

6 sifted egg yolks

1 cup coconut milk

SUNDAE

2 cups tapioca

4 tablespooons confectioners' sugar

12 scoops toasted coconut ice cream

Baba de moça: bring water, sugar and cloves to boil over medium heat. Let it cook until it turns into thin syrup – it will be done when dipping a fork, it will stream in threads like thin wire. Remove from heat and add the butter. In a separate bowl, mix egg yolks and coconut milk.

When syrup is lukewarm, add the egg mixture, mix well, and return to medium heat, stirring constantly until it thickens. Let it cool.

Sundae: spread the beiju in cookie sheet and dust with confectioners' sugar. Bake in preheated oven (320°F) for about 8 minutes, until the beiju is dry and golden brown.

Place two scoops of ice cream in 12 individual serving bowls, cover with baba de moça and finish with a coarsely crumbled beiju. **Makes 6 servings.**

FROZEN TAPIOCA TIRAMISÙ

ICE CREAM

2 cups milk

1 can sweetened condensed milk

1 cup fresh cream

Dash of salt

8 sifted egg yolks

TAPIOCA PEARLS

½ cup tapioca pearls

4 cups water

3 tablespoons sugar

1 cinnamon stick

COFFEE SAUCE

1⅔ cups fresh cream

⅔ cup milk

½ cup plus 2 tablespoons sugar

1 teaspoon vanilla extract

8 egg yolks

2 tablespoons instant coffee

Chocolate-covered stick biscuits

Cocoa for garnishing

Ice Cream: in medium heat and stirring constantly, bring milk, condensed milk, and fresh cream to a boil.
In separate bowl, pour a few drops of this mixture over egg yolks and mix well. Turn the whole mix back into the pot, and cook over low heat until slightly thickens.
Pour in bowl, cover with plastic film, and refrigerate for at least 8 hours.
Place in frozen bowl of ice cream machine and beat until creamy. Freeze.
Tapioca Pearls: bring to boil tapioca pearls, water, sugar and cinnamon. Stirring constantly, cook until pearls are transparent.
Place in a closed container and let it rest.
Coffee Sauce: in saucepan, boil cream, milk, half the sugar and vanilla.
In separate bowl, beat yolks with remaining sugar. Add a few drops of hot milk to the yolk mixture, stir and turn everything into the saucepan again. Stir constantly and cook until it slightly thickens.
Remove from heat and add the instant coffee stirring well to dissolve the powder. Let it cool.
To serve: distribute tapioca pearls with coffee sauce in glass mugs, add a scoop of ice cream on top, and cover with tapioca pearls. Garnish with chocolate biscuits and cocoa powder. **Makes 8 servings.**

THE MARQUISE'S CUSTARD

MACAROONS	TRUFFLED PIE
1⅓ cup slivered and roasted hazelnuts	1 cup bittersweet chocolate
2 cups sugar	1¼ cup fresh cream
⅓ cup flour	Dash of salt
3 eggs at room temperature	½ teaspoon vanilla extract

Macaroons: in food processor, beat hazelnuts, sugar and flour until finely crumbled. Add eggs and beat until creamy. Cover with plastic film in a way that film touches batter, and let rest for at least 2 hours in a cool place.
Distribute batter in greased cookie sheet lined with greased parchment paper or in silpat, using 2 tablespoons of batter for each macaroon, and leaving a space between them. Bake in preheated oven (230°F) for 7 minutes, and let it cool.
Truffled Pie: melt chocolate in double boiler or water bath. Remove from heat and add cream, salt and vanilla.
Line the bottom of 8 round (2") baking sheets with the chocolate cream. Refrigerate.
To serve: sandwich the chocolate pie in between two macaroons, and add a scoop of pistachio ice cream on the side. **Makes 8 servings.**

CHOCOLATE CHEESECAKE

½ cup bittersweet chocolate, chopped
4 lbs. cream cheese
1 tablespoon vanilla extract
½ tablespoon almond extract
3½ cups of sugar
8 eggs
Butter for greasing
Melted bittersweet chocolate for decoration

Melt chocolate in double boiler.
Beat cream cheese in electric mixer until fluffy, scraping sides with a spatula so its completely whipped.
Add extracts and sugar. Beat well. Add eggs, and continue beating until well mixed.
Place two and a half ladles of this mixture in a separate bowl and add the melted chocolate.
Grease well a baking pan (10") with removable bottom and refrigerate for about 20 minutes.
Remove from the refrigerator and grease again before pouring the cream cheese mixture.
Put the chocolate in a pastry form with nozzle 6, and introduce the nozzle in center of batter. Squeeze chocolate until it forms a ball as tall as the cheesecake. Make smaller balls around the large one, avoiding that they touch one another.
Preheat oven to 250°F, and bake cheesecake in water bath (place baking pan into another one half filled with water) for 1 hour and 45 minutes. Top will be golden brown and dry to the touch but soft inside.
Remove from water bath and let it cool for two and a half hours. Cover with plastic film, making sure film touches top surface.
Flip cheesecake carefully onto serving plate. Refrigerate for a few hours before serving.
Garnish with melted chocolate. When ready too serve, dip the knife in warm water before cutting. **Makes 12 servings.**

MASCARPONE CREAM WITH BLUEBERRY AND MULBERRIES

MASCARPONE CREAM
2 cups fresh mascarpone cheese
1 cup fresh cream
½ cup sugar
½ teaspoon vanilla extract

SYRUP
2 cups frozen blackberries
1 cup sugar
⅓ cup Cassis liqueur
1 cup fresh blueberries
2 tablespoons orange peels to garnish
Confectioners' sugar to garnish

Mascarpone Cream: place all ingredients in a bowl – they must be very cold. Whisk until it turns into a soft cream. Set aside.
Syrup: place all ingredients in saucepan and cook over low heat for about 10 minutes or just enough to mash the blackberries.
Serving: pour a bit of the blackberry syrup on the bottom of individual cups, top it with mascarpone cream. Add a little more syrup, a few blueberries, and sprinkle with orange peel. Dust confectioners' sugar on top. **Makes 10 servings.**

ILES FLOTANT WITH DRIED SUGAR CANE SAUCE

EGG WHITES
5 egg whites
1 cup sugar
Dash of salt

DRIED SUGAR CANE SAUCE ('rapadura')
2 cups milk
1 cup fresh cream
¼ cup sugar
⅓ cup brown sugar or dried sugar cane
(also called 'rapadura')
8 sifted egg yolks
2 tablespoons molasses
Brown sugar to sprinkle

Mix egg whites, sugar and salt in the top of double boiler and cook over medium heat stirring constantly until sugar is dissolved. Remove from heat. Beat with electric mixer until stiff peak forms in a meringue.
Heat a large pan with water but do not boil. Keep the temperature of water at 195°F at all times in order to cook the eggs. Using 2 tablespoons, form egg shapes with the meringue, drop them in the hot water, turning and flipping them over to cook entirely. They must be firm and slightly larger. Refrigerate.
Dried Sugar Cane Sauce: in saucepan, bring milk, fresh cream and half the amount of both white and brown sugars. Separately, beat egg yolks and remaining sugars. Drop a bit of the hot milk in egg yolks, mix well and return to low heat, stirring constantly. When it starts to thicken, remove from heat, add the molasses and let it cool.
To serve: place dried cane sauce in bowl, top it with 2 iles flotant, and sprinkle with a little brown sugar. **Makes 8 servings.**

CHOCOLATE NEMESIS

9 eggs
2¼ cups sugar
⅔ cups water
1 lb and 2 cups semi-sweet chocolate
1⅓ cups butter
⅔ cup flour
Butter for greasing
Ice cream and chocolate syrup

With electric mixer, beat eggs with ⅔ cup sugar until four times its volume.
In a saucepan, mix remaining sugar with water, and boil for about 10 minutes. Remove from heat, fold in chocolate and butter.
With a hand mixer or a fouet whisk together chocolate syrup and eggs, adding flour for last.
Grease a 9" baking pan, line with wax paper and grease the paper. Pour batter in baking pan, and put baking pan inside another pan half filled with water. Bake in water bath in preheated oven (325°F) for about 35 minutes. Remove from pan when completely cold. Serve in slices accompanied by ice cream topped with hot fudge. **Makes 10 servings.**

ILES FLOTANT WITH COCONUT CREAM, LYCHEE AND GINGER CONFIT

EGG WHITES	CREAM SAUCE	GINGER CONFIT
5 egg whites	7 egg yolks	1½ cup finely shredded ginger
1 cup sugar	7½ tablespoons sugar	1 cup brown sugar
Dash of salt	1 can evaporated milk	1 cup sugar
	1 bottle of coconut milk	6 cloves
	1 cup fresh shredded coconut	1 stick cinnamon
		4 cups water
		18 canned lychees, chopped

Iles Flotant: place egg whites and sugar in double boiler, and cook over low heat stirring constantly until sugar is dissolved. Remove from heat, add salt and blend until it forms a firm meringue, with stiff peaks.

Fill large pot with water and heat it to 195F°, without boiling. Maintain this temperature while eggs cook.

With two teaspoons, form meringue into egg shapes, drop them in the warm water, and flip them to both sides, so they cook completely. Eggs must be firm and slightly larger. Refrigerate.

Cream Sauce: place egg yolks, sugar, evaporated milk and coconut milk in saucepan and cook over medium heat until thickens, but without boiling. Remove from heat and stir in coconut. Refrigerate.

Ginger Confit: boil shredded ginger in fresh water twice to make it less pungent. Drain.

In saucepan over low heat, bring ginger, sugars, spices and water to a boil. Keep boiling for 40 minutes. Ginger will be transparent and syrup streams in wires (when you put a fork in the water, syrup will drip resembling thin wires).

Place coconut cream sauce in bowls and egg whites on top. Decorate with lychees and ginger. **Makes 10 servings.**

xxxxxxxxxxxxxxxxxxxxxxxxxxxxxxxxxxxxxxxxxxxxxxxxxxxxxxxxxxxxxxxxxxxxxxxxxxxxxxxxxxxxxxxxxxxxxxxxxxxxxxxxxxxxxxx

10. PIES

THE PIE WOMAN

I wasn't lucky enough to be born beautiful. Or pretty. Not even cute. One can't say I'm a homecoming queen either, so I've been taunted all my life: "you want a loan? Why? so you can have work done on your face?" or "Wow, you're a 'fallen angel' that actually fell…on your face!" Anyway, if on the one hand I'm ugly, on the other I'm really intelligent. And very early on, in my intelligence, I realized I would never marry. Who would want to wake up beside a beast?

"Go away, fugly betty!" Exactly. My hair doesn't help; my eyes stick out; my nose is huge… In short, I am hideous. And my future was a reason for concern.

One day my nose and I went out for a walk. I like reading under the trees; and it was a perfect day for it, the sun was shining and a soft breeze, blowing. I sat under a fig tree and simply devoured the pages of my favorite romance. I didn't feel time go by, and when I realized, the breeze had stopped, the sun was getting unpleasantly hot, it was almost noon, and I had nothing with me but an apple. Close by I noticed a family getting ready for a picnic…

The kids played ball with their dad, and the mother was setting out the food on a picnic blanket. The scent of a fresh fig pie, still warm, started to affect me. I tried to focus on something else but it was impossible. That's what happens when your nose is gigantic and aroma of pie is in the air.

I must have been feverish from the heat; but the fact of the matter is that I couldn't think of anything but to indulge on that wonderful pie. So I waited for the right opportunity; and when the mother walked away, I turned into a child and just went a little crazy! I crept through the grass towards the pie, and when I was almost there I somehow tripped on the blanket, lost balance, and fell… face down on the pie! I couldn't run away, and it was bizarre, to say the least. People gathered around me, laughing of my face covered in pie and meringue, pointing to my nose, teasing me: "a witch with meringue filling! ha ha ha"! A cop joined the banter. It didn't take long for a couple of dogs to stick around too, basically to lick the pie crumbs. It was ugly, really ugly… because everything with me is ugly, always. Although from this day on, something changed…

The whole experience had a big effect on me; to a point that the fig flavor started haunting me. I would wake up in the middle of the night and could swear I had made the pie in my own oven. This happened hundreds of times, until the day I decided to really bake it myself. With no baking talent, or any other either, why not give it a try? I bought all ingredients that made sense, and followed my gut feeling, completely intuitively.

To my surprise, guess what? The pie came out delicious – and fabulous. Quickly became a hit in town; with everyone wanting to see if I had any other talent besides being ugly. The orders kept coming in, increasing, I had to get a bigger kitchen; and now I will open my own business. Like I said, I'm not dumb. So with my "ugly" reputation, my bakery can't be called other than "The most beautiful pie in the world". Isn't this a sweet ending? born hideous but unfolds into something lovely?

RECIPES

PECAN-OVALTINE TERRINE

BATTER	FILLING
14 oz. butter	1 ½ condensed milk cans
10 oz. sugar	4 tablespoon cocoa
7 oz. Ovaltine	¾ cup pecan nuts, coarsely chopped
5 eggs	2 tablespoon butter
5 egg yolks	1 teaspoon vanilla
Dash of salt	Dash of salt

Batter: in double boiler, melt butter with sugar, and add Ovaltine. Beat egg yolks with eggs and pour as a string over chocolate mixture in double boiler. Add salt, incorporating well. Place in buttered and sugared loaf pan and bake in bain-marie in medium heat, of 300°F, for about 45 minutes. Refrigerate for one hour before unmolding.
Filling: combine all ingredients over medium heat and cook until creamy, but not very thick. Pour in buttered container, and allow it to cool before using to fill terrine.
To serve: slice in 3 layers and assemble with filling. **Makes 12 servings.**

APPLE MARQUISE WITH ROQUEFORT CHUNKS

CRUST	FILLING	SYRUP
5 oz. sugar	10 Fuji apples	1 cup sugar
3 oz. butter	1½ cups sugar	1 cup water
1.5 oz. flour	5 oz. Roquefort cheese	½ cup lime
½ cup Neston (Cereal Baby Food)		1 vanilla bean, open

Crust: work all ingredients of crust with fingertips; and press in bottom of spring form pan lined with silpat. Bake in pre heated oven 320°F for about 15 minutes or until golden. Set aside.
Filling: peel apples and chop them quickly not to brown.
Add sugar and cook until apples caramelize and liquid evaporates. Chill. If necessary drain remaining liquid in a chinois.
Press caramelized apple to baked crust and refrigerate.
Syrup: bring water, sugar and vanilla bean to a boil. Let it simmer until it turns into a syrup.
Add strained lime juice, simmer to light syrup again. It will thicken when cold.
To serve: when ready to serve, garnish with high quality Roquefort cheese chunks in room temperature. Decorate with syrup.
Makes 6 servings.

BRAZIL NUT AND RICOTTA CAKE WITH CASHEW PRESERVES

CAKE	GOLDEN CASHEW PRESERVES
2 cups creamy ricotta	8 fresh cashew fruit
1 can condensed milk	2 cups sugar
4 eggs	1½ cup water
7 oz. Brazil nuts	Juice of 2 mandarin limes
2 oz. sugar	
Vanilla	
2 tablespoon cornstarch	

Cake: in blender, pulse together condensed milk, eggs, Brazil nuts, and half of ricotta.
Remove from blender and incorporate remaining ricotta, cornstarch, vanilla and sugar.
Place in round 8-inch baking pan buttered and lined with wax paper Bake in bain-marie in 320°F oven for about 40 minutes.
Golden cashew preserves: peel cashews, preserving the nuts. Squeeze cashews with hands to extract a little juice. Set aside and sprinkle with lime juice.
Caramelize half sugar, add water and remaining sugar and cook over medium heat, simmering until syrup reduces to 2/3 the volume. Add cashews and cashew juice and cook for about 30 minutes, until tender.
Keep cashews in syrup and let it cool. Use to garnish the cake. **Makes 10 servings.**

CORN FLAKES CRUST WHITE CHOCOLATE AND FRUIT TARTS

CRUST	FILLING AND TOPPING
½ cup corn flakes	1 cup white chocolate, chopped
2 oz. powdered milk	½ cup heavy cream
½ cup flour	Rind of ½ lemon
4 egg yolks	Dash of salt
5 oz butter, softened	1 cup pineapple chunks in syrup to garnish
2 oz. sugar	1 cup kiwi, diced, to garnish
	1 cup mangoes, diced, to garnish

Crust: crush corn flakes with hands. Add powdered milk, flour and sugar. Work it with fingertips, adding egg yolks, and lastly butter. Don't over work it. Wrap in plastic film. Press mixture in bottom and sides of individual tart pans; and bake in preheated 320°F oven for about 18 minutes or until golden. Set aside.
Filling and topping: over heat, combine heavy cream, lemon rind, salt and chopped chocolate, and stir until completely melted.
To serve: fill tarts with this ganache and chill. Garnish with fruit pieces. **Makes 6 servings.**

ORANGE DULCE DE LECHE BAKED ALASKA

DULCE DE LECHE MOUSSE	MARSHMALLOW
3 eggs	3 egg whites
3 cups dulce de leche (argentine)	1½ cups sugar
1 cup heavy cream	1 cup water
1 tablespoon Cointreau	1 vanilla
Rind of 1 orange	Dash of salt
Dash of salt	

Dulce de leche mousse: in double boiler, combine dulce de leche and egg yolks, and stir constantly for about 15 minutes. Let it cool and set aside. With blender, whip cream, Cointreau and orange rind until foamy. Set aside.
Beat egg whites with dash of salt.
Delicately fold whipped cream into dulce de leche, and lastly, fold in egg whites.
Butter and line cake pan with parchment paper, leaving a few inches of paper overhanging in borders. Fill with mousse and freeze until firm, for about 3 or 4 hours.
Marshmallow: over medium heat, bring sugar and water to a boil, and simmer until it turns into thin syrup.
Beat egg whites with dash of salt and vanilla; turn mixer to low speed and pour syrup continuously and carefully until mixture cools down.
To serve: remove mousse from freezer, unmold and top with marshmallow. Brown frosting with torch to finalize and serve immediately.
Makes 8 servings.

GOLDEN CREAM COCONUT TART

MERINGUE	BABA DE MOÇA	ASSEMBLE
2 cups coconut, finely grated	3 cups sugar	12 oz. coconut flakes
9 oz. sugar	1 cup water	3 oz. sugar
14 egg whites	2 tablespoon butter	
½ cup sugar	1½ cup coconut milk	
Dash of salt	14 egg yolks, strained	
Butter	1 teaspoon cornstarch	
Potato starch to dust		

Meringue: combine grated coconut with 14 Tbsp. sugar and roast in pre-heated oven at 320°F for about 15 minutes until golden. Set aside.
Beat egg whites with dash of salt until stiff peaks form. Remove from blender; incorporate 6 Tbsp. sugar and roasted coconut. Butter and dust with potato starch two 10-inch baking sheets. Divide meringue mixture between each sheet and bake in preheated oven at 300°F for about 35 minutes, or until toothpick comes out clean. The discs wilt when cold.
Baba de moça: bring water and sugar to a boil, and let it simmer without stirring, until becomes a thick syrup. Remove from heat and add butter. Chill.
Combine coconut milk, cornstarch and egg yolks, and whisk into warm syrup to incorporate. Return to heat, stirring constantly until cream thickens; but don't let it boil or it will curdle the egg yolks. Let it chill.
Assemble: over medium heat, toast coconut with sugar until golden. Set aside.
Serving: Assemble tart by layering on a plate a meringue disc, a thick layer of baba de moça cream on top, the second meringue disc, and ending with remaining baba de moça cream. Dust with toasted coconut flakes. Serve chilled. **Makes 12 servings.**

MARZIPAN BASKETS FILLED WITH CREAM, LEMONCELLO AND BERRIES

2¾ cups marzipan
Confectioner's sugar
14 oz. cream
3.5 oz. sugar
2 tablespoon lemoncello
7 oz. fresh raspberries

Using plastic film dusted with confectioners' sugar, carefully roll marzipan open to 3mm thick. Cut 4-inch circles and build little baskets. Set aside.
Beat cream, sugar and lemoncello until firm and creamy. Fill marzipan baskets and garnish with fresh berries. **Makes 4 servings.**

GLOSSARY

Page 3 – Fruta do conde, or sugar-apple, is a pine cone-like green fruit, very sweet in taste. Also known as grenadille.

Page 3 – Manjar is a term used to refer to a delicacy known in Europe as blancmange. It is made with milk, cream and sugar, set in a mould with a consistency like gelatin and served cold.

Page 25 – Negrinho melado, also known as brigadeiro, is a small chocolate fudge ball, made with condensed milk and chocolate, rolled in chocolate sprinkles.

Page 25 – Fios de ovos, or egg threads for the literal translation. Portuguese traditional sweet made with egg yolks and sugar. Cooked in syrup, it resembles angel hair.

Page 25 – Camafeus, traditional sweet made of walnuts, round or oval shaped, covered with fondant.

Page 26 – Toucinho do céu, or heaven's lard, a traditional Portuguese sweet made of egg yolks and sugar.

Page 30 – Toast or burnt coconut sweet, original is doce de coco queimado, typical dessert sweet from Bahia's cuisine, it is made with sugar, coconut and cloves.

Page 33 – Goiabada. Probably the most popular sweet in Brazil, it is made of guava paste, and can be hard to cut or soft to eat in spoonfuls. Like quince paste, it's usually paired with cheeses, almonds and some desserts. When goiabada is paired with cheese, Brazilians commonly call it "Romeo and Juliet".

Page 36 – Beiju. From most traditional Brazilian cuisine, beiju is made of tapioca, which is moistened, strained through a sieve to become a coarse flour, then cooked in hot griddle or pan, where the heat makes the starchy grains fuse into a tortilla, and it is often sprinkled with coconut. It may then be used as a toast with butter, cheese, chocolate, bananas; and served warm. A traditional dessert called sagu is also made from pearl tapioca cooked with cinnamon and cloves in red wine or water.

Page 36 – Baba de Moça, a creamy sauce from Bahia, prepared with coconut milk, egg yolks and sugar. It can be served as a sauce or as a pudding eaten by itself.

Page 39 – Rapadura is an unrefined sugar cane hard candy, traditionally used in the North East and Minas Gerais in Brazil. It can be used as sweetener or candy.

Page 94 – Cupuaçú, large, melon shaped, dusty browned fruit from the cacao family, its flesh is sweet and very aromatic.

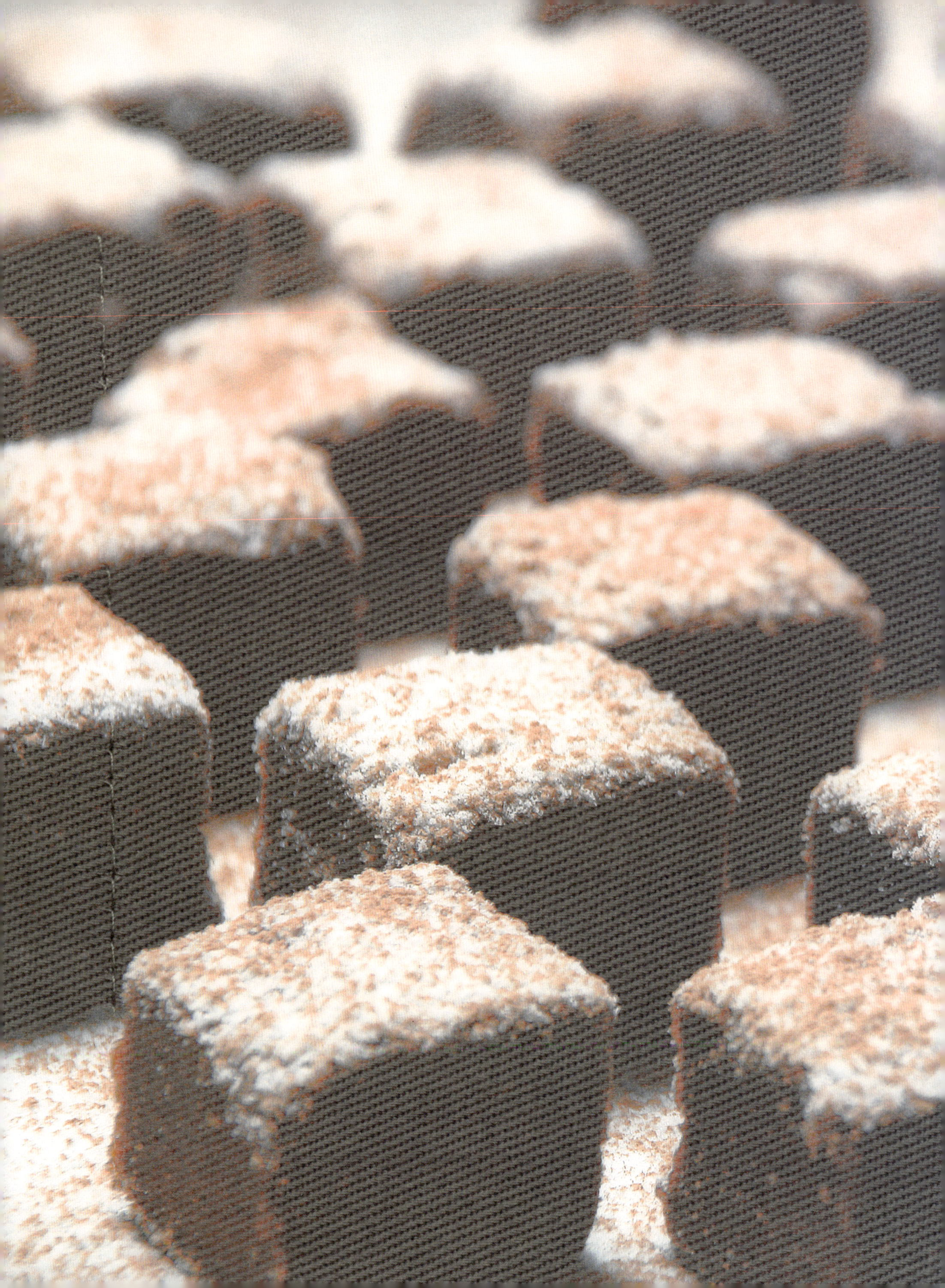

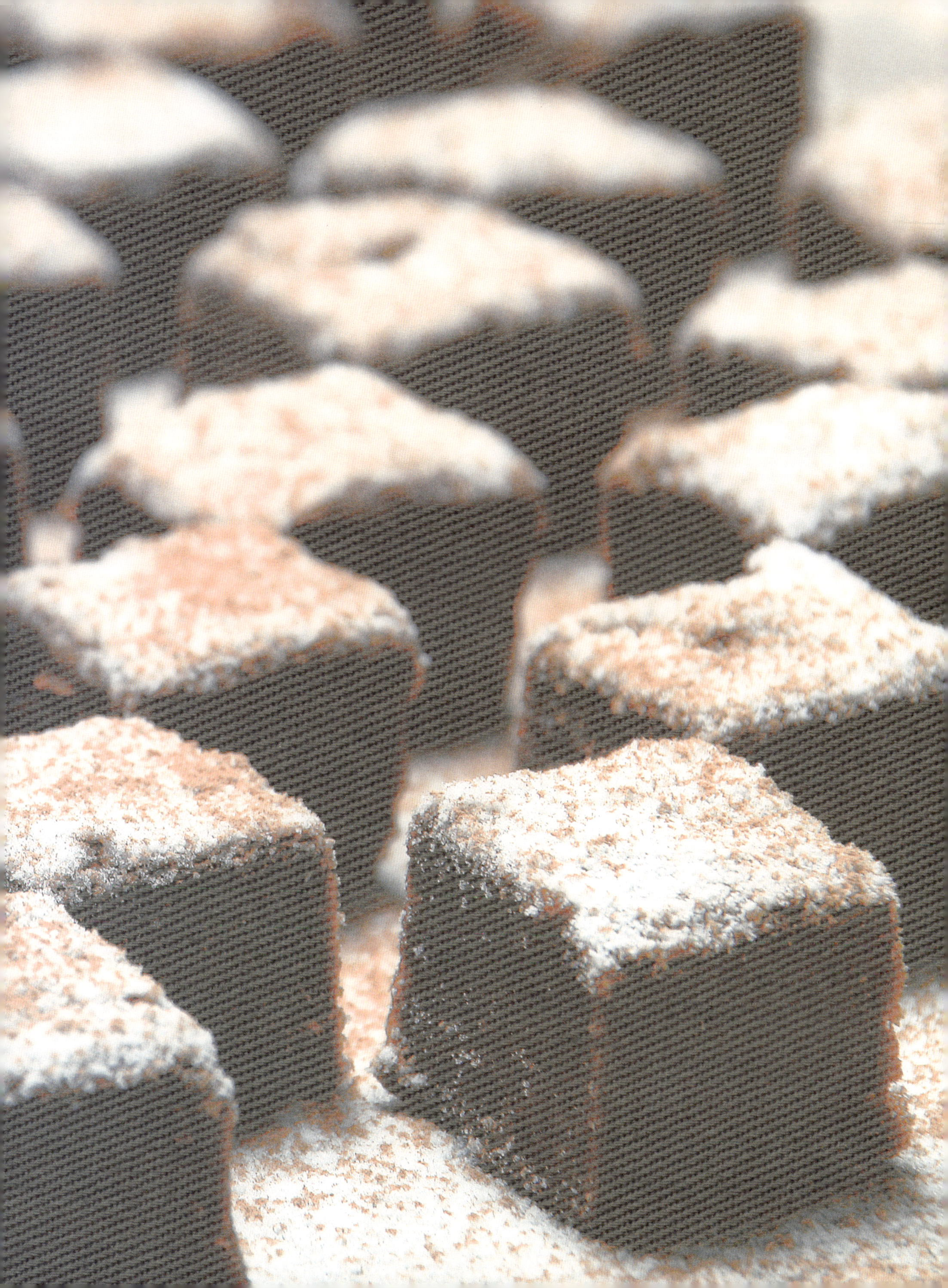

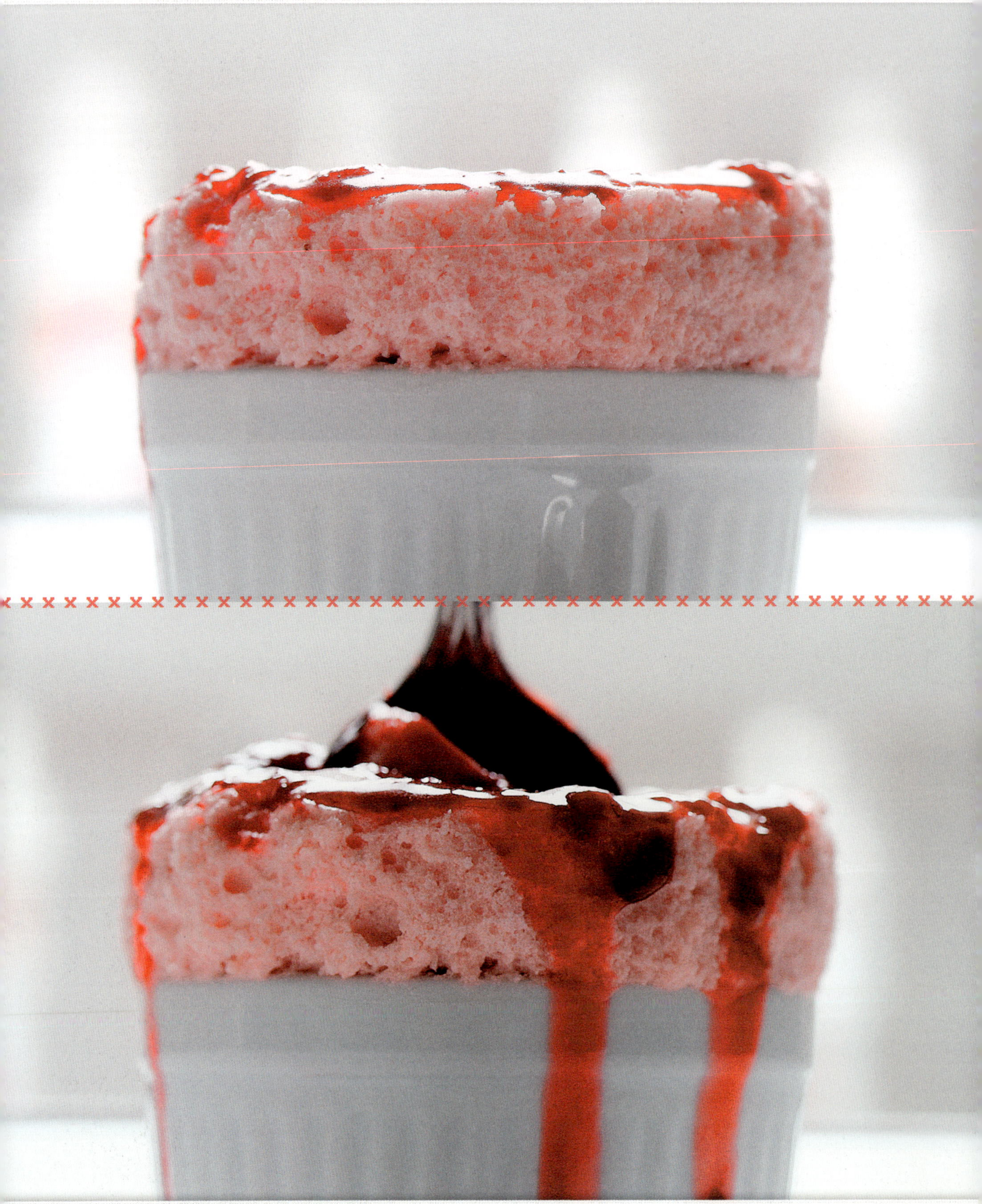

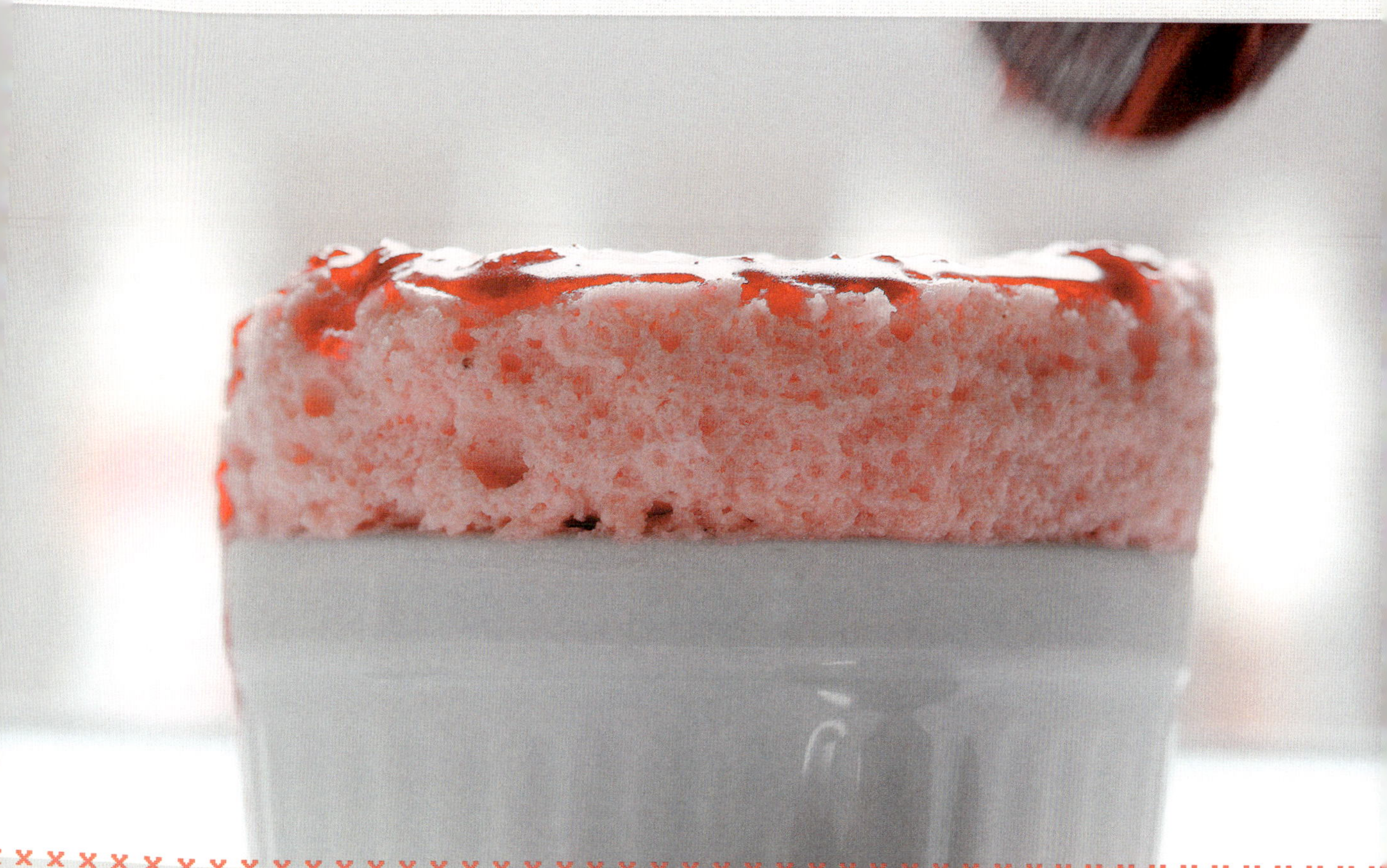

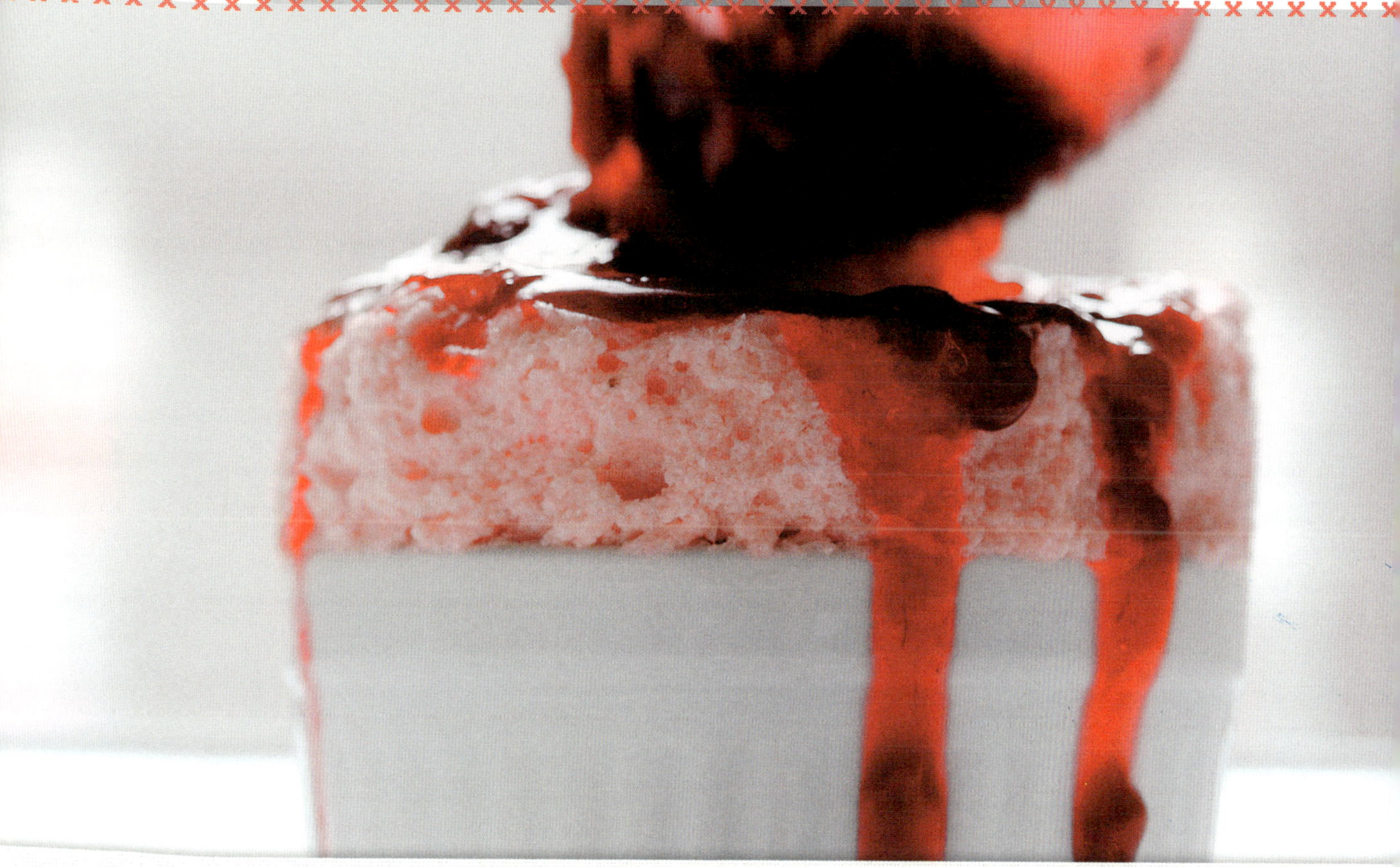